De l'Ambiguïté en Architecture

Collection Aspects de l'Urbanisme

Collection dirigée par René Loué
Directeur Général de l'Immobilier Empain Schneider

Christopher Alexander – De la Synthèse de la Forme, essai
Philippe Boudon – Pessac de Le Corbusier
Philippe Boudon – Sur l'Espace Architectural
Catherine Chatin – 9 Villes Nouvelles
Serge Chermayeff et Ch. Alexander – Intimité et Vie Communautaire
Frederick Gibberd – Composition Urbaine
Ebenezer Howard – Les Cités-Jardins de demain
Kevin Lynch – L'Image de la Cité
J. Brian McLoughlin – Planification Urbaine et Régionale
Boleslaw Malisz – La Formation des Systèmes d'habitat
Élie Mauret – Pour un équilibre des villes et des campagnes
Anne M. Meisterhein – Villagexpo
Amos Rapoport – Pour une Anthropologie de la Maison
Robert Venturi – De l'Ambiguïté en Architecture

Robert Venturi

De l'Ambiguïté en Architecture

Préface de Vincent Scully

Traduit par Maurin Schlumberger
et Jean-Louis Vénard,
Architecte D.p.l.g., I.u.u.p.

dunod

Traduction de l'ouvrage publié en langue anglaise sous le titre
Complexity and Contradiction in Architecture
par The Museum of Modern Art, New York.

ISBN 2-04-000544-4

N° Éditeur 02 19 76 0206

Remerciements

C'est grâce à une bourse de la Fondation Graham que j'ai pu écrire la plus grande partie de ce livre, en 1962. Je suis également débiteur envers l'Académie Américaine de Rome, dont la bourse me permit de séjourner en Italie il y a dix ans.

J'ai aussi reçu l'aide de plusieurs personnes et je remercie, notamment, Vincent Scully pour des remarques et des critiques qui, apportées au moment précis où j'en avais besoin, furent décisives; Marion Scully pour la compétence, la patience et la compréhension avec lesquelles elle m'a aidé à clarifier le texte de ce livre; Philip Finkelpearl avec qui j'ai discuté pendant des années; Denise Scott Brown qui m'a fait partager ses vues sur l'architecture et l'urbanisme; Robert Stern pour son concours concret et enrichissant à ma thèse; madame Henry Ottmann et mademoiselle Ellen Marsh qui font partie de l'équipe du Musée d'Art Moderne, pour l'aide qu'elles m'ont apportée dans la recherche des illustrations.

R. V.

Table des matières

Avis au lecteur

Cette remarquable étude est la première publication 'une série de textes traitant des fondements théoriques de architecture moderne. Contrairement aux autres publica-ons du Musée d'Art Moderne dans le domaine des arts lastiques, cette collection sera indépendante de notre rogramme d'expositions. Les sujets qu'elle abordera sont op complexes pour pouvoir être présentés sous forme 'expositions, et leurs auteurs proviendront d'horizons rofessionnels divers.

Le Musée publie ce livre de Venturi en collaboration vec la Fondation Graham pour les études supérieures d'Art lastique (Graham Foundation for Advanced Studies in the ine Arts), dont l'auteur avait précisément reçu une bourse ui l'a aidé à le rédiger.

Comme ce qu'il construit, ce qu'écrit Venturi est en ontradiction avec ce que beaucoup considèrent comme une octrine établie, ou tout au moins comme des idées admises. s'attaque avec une franchise peu commune à la réalité, est-à-dire « aux faits » équivoques et parfois déplaisants vec lesquels les architectes sont constamment aux prises. 'est sur leur caractère ambigu que Venturi cherche à fonder ne plastique architecturale. Cette proposition est vigoureu-ment défendue par Vincent Scully, professeur à l'Université Yale, qui met en évidence dans sa préface les insatis-ctions où conduit la composition architecturale conçue à avance et dans l'abstrait, pour leur opposer le plaisir que ocure à Venturi son corps à corps avec le réel, particu-rement dans ces aspects récalcitrants que la plupart des chitectes s'efforcent de cacher ou de supprimer. Les propo-tions de Venturi peuvent être mises à l'épreuve immédia-ment : elles ne nécessitent ni performances techniques, ni gislation particulière. L'architecture qu'il cherche à évincer se des problèmes qui sont si loin d'être résolus que nous rons bien forcés, d'accord ou non avec ce que fait Venturi, lui prêter une oreille attentive.

Arthur DREXLER
Directeur du Département
de l'Architecture et du Design
Museum of Modern Art, New York

Préface

Voici un ouvrage incommode : il s'adresse à des architectes engagés dans leur profession et très attentifs aux problèmes visuels, et pas à ceux qui préfèrent fermer les yeux par crainte d'être choqués par ce qu'ils voient. Son argumentation se développe comme un rideau se lèverait lentement devant nos yeux, dévoilant petit à petit, dans une mise au point progressive, l'ensemble de la thèse. Et cette thèse est neuve, difficile à appréhender et à commenter, disgracieuse et imparfaite comme seules peuvent se permettre de l'être les idées neuves.

Livre typiquement américain, qui suit une méthode phénoménologique rigoureuse et pluraliste, et nous rappelle Dreiser traçant péniblement sa voie. Et pourtant c'est probablement le texte le plus important de la théorie de l'architecture depuis « Vers une architecture » écrit par Le Corbusier en 1923. A première vue la position de Venturi s'oppose en effet très exactement à celle de Le Corbusier dont elle est le premier (*) complément naturel. Ce qui ne veut pas dire que Venturi soit l'égal de Le Corbusier par la conviction ou la perfection de son discours, ni qu'il le sera jamais, car bien peu y parviendront. Par ailleurs la connaissance des œuvres de Le Corbusier a certainement beaucoup influencé la formation des idées de Venturi. Mais celles-ci font en fait contrepoids aux vues de Le Corbusier telles qu'elles ressortent de ses premiers textes, et telles qu'elles ont marqué deux générations d'architectes depuis lors. Le « grand ancien » réclamait une architecture d'un purisme magnifique et rigoureux dans les

(*) Je n'oublie pas ici le livre de Bruno Zevi « Vers une architecture organique » paru en 1950, qui était volontairement destiné à répondre à l'argumentation de Le Corbusier. Mais on ne peut pas considérer que ce livre la complète ou soit un progrès par rapport à « Vers une architecture », car il raisonne surtout par réaction contre cet ouvrage pour défendre des principes « organiques » qui avaient été formulés par certains architectes bien avant Zevi, et avaient déjà épuisé une grande partie de leur dynamisme. La meilleure incarnation de ces principes se trouve dans l'œuvre de Frank Lloyd Wright antérieure à 1914, et leur expression la plus claire dans ses publications datant de la même époque.

bâtiments isolés, comme dans les villes considérées comme un tout. Le « nouveau » fait bon accueil aux aspects contradictoires et complexes de l'expérience urbaine à tous les niveaux. En cela il déplace complètement le centre d'intérêt, et ne manquera pas de contrarier ceux qui, aujourd'hui, suivent religieusement Le Corbusier, de la même manière que celui-ci mettait en fureur la plupart de ceux qui appartenaient alors à l'Ecole des Beaux Arts. Les deux livres sont ainsi vraiment complémentaires : ils se ressemblent même fondamentalement car ils ont tous deux été écrits par des architectes qui ont réellement appris quelque chose de l'architecture ancienne, alors que peu de leurs contemporains ont été capables de le faire, préférant au contraire se réfugier derrière des systèmes divers où l'histoire n'est utilisée que pour la propagande. Le Corbusier et Venturi ont vécu une expérience personnelle et directe au contact de l'architecture ancienne, grâce à leur capacité de se libérer des structures de pensée et des modes de leur époque, mettant ainsi en application la recommandation de Camus : « Quittons un temps ce siècle et ses fureurs adolescentes ».

Ils puisèrent les meilleures de leurs leçons à des sources très différentes. Le Corbusier tira l'essentiel de sa formation du temple grec dont la masse blanche et libre se dresse solitaire dans le paysage, faisant éclater sous la lumière du soleil sa brillante austérité. Dès ses premiers ouvrages polémiques il soutint que c'était précisément l'exemple à suivre pour construire les bâtiments et les villes, et arrivée à sa maturité son architecture eut de plus en plus tendance à se revêtir du caractère sculptural et du dynamisme majestueux du temple grec. C'est un modèle historique tout à fait opposé qui fournit à Venturi son inspiration initiale : les façades des rues italiennes, avec leurs perpétuelles réadaptations aux exigences contradictoires des espaces internes et externes, et tous les réajustements que nécessitent les actes variés de la vie quotidienne. Il ne s'agit plus de sculptures théâtrales posées dans de vastes paysages mais d'espaces dont les volumes complexes contiennent et délimitent les rues et les places. De cette adaptation découle alors pour Venturi un principe général de l'urbanisme. En quoi il ressemble encore une fois à Le Corbusier, dans la mesure où tous les deux sont essentiellement des artistes attachés à l'espace visuel, que l'observation minutieuse de bâtiments isolés a conduits à une nouvelle vision spatiale et symbolique de l'urbanisme en général — non pas cette conception schématique ou basée sur des dessins à deux dimensions vers laquelle tendent la plupart des urbanistes, mais celle d'un assemblage de figures solides donnant toute sa dimension à une architecture.

Pourtant, là encore, Le Corbusier et Venturi ont des positions diamétralement opposées. Conduit par la rigueur cartésienne qui constituait l'une des multiples composantes de sa personnalité, Le Corbusier a pu généraliser dans son livre « Vers une architecture » beaucoup plus aisément que ne le fait ici Venturi, et présenter un projet d'ensemble clair et universel. L'ouvrage de Venturi est plus morcelé, progressant pas à pas suivant des démonstrations moins assurées : ses conclusions sont généralement implicites. Et pourtant il me semble que ses propositions, parce qu'elles respectent ce qui existe en reconnaissant sa complexité, sécrètent le meilleur antidote aux désastreuses théories puristes qui guident la rénovation urbaine contemporaine, conduisant tant de villes au bord de la catastrophe, et qui représentent aujourd'hui une terrifiante vulgarisation des idées de Le Corbusier. Ce sont des rêves héroïques appliqués par une foule – comme si un Achille devait devenir roi. C'est pourquoi, je suppose, Venturi est si uniformément prosaïque, atténuant constamment ses recommandations d'une ironie implicite. Le Corbusier aussi usait de l'ironie, mais c'était le sourire acéré d'un grand fauve. Venturi suit son chemin en haussant tristement des épaules, réponse d'une génération aux prétentions grandioses qui se sont montrées, en pratique, si destructrices ou si dépassées.

Comme tous les architectes originaux, Venturi nous montre le passé sous un jour nouveau. Il m'a permis, par exemple, à l'époque où mon attention se concentrait sur l'uniformité pré-Wrightienne du style Shingle, de rendre toute son importance à une autre qualité, opposée et non moins évidente, de ce style : la composition compliquée des espaces internes et externes, pour laquelle les architectes de cette époque se passionnaient certainement. Et il a également attiré notre attention sur les capacités d'adaptation des premiers plans de Le Corbusier. Ainsi tous les architectes créatifs ont le pouvoir de ramener, comme si cela allait de soi, les morts à la vie. Ce n'est pas par pur hasard si Le Corbusier et Venturi se rencontrent encore une fois à propos de Michel-Ange, dans l'œuvre duquel se trouve réunis de manière très particulière le courage d'un style grandiose et la complexité due à l'étendue des qualifications techniques. Venturi prête moins attention que Le Corbusier à l'aspect unitaire du Saint Pierre de Michel-Ange, mais comme Le Corbusier il a su voir l'autre aspect de l'œuvre de Michel-Ange : les tristes et grandioses dissonances des absides, ce chant mélancolique et majestueux à la mort des civilisations et au destin des hommes sur une planète qui s'éteint (et non seulement il a discerné cet aspect, mais il peut construire sous son inspiration, comme le montre le fenestrage de sa résidence pour personnes âgées, à Philadelphie).

En ce sens et malgré ses démentis ironiques, Venturi est l'un des rares architectes américains dont l'œuvre semble prendre une stature tragique dans la tradition de Furness, Louis Sullivan, Wright et Kahn. Qu'il en soit ainsi montre à quel point la succession des générations vivant dans un même lieu est capable d'approfondir et de renforcer une manière de voir; c'est le cas de Philadelphie : depuis Frank Furness jusqu'au jeune Sullivan, et ensuite à travers Wilson Eyre et George Howe, jusqu'à Louis Kahn. Kahn est le guide que Venturi a suivi de plus près comme, d'ailleurs, presque tous les meilleurs jeunes architectes et éducateurs américains de la dernière décennie, tels que Giurgola, Moore, Vreeland et Millard. Le dialogue qui s'est ainsi établi, dans lequel le Hollandais Aldo Van Eyck a joué aussi un rôle marquant, a certainement beaucoup contribué à la formation de Venturi. La théorie de Kahn sur les « institutions » a été fondamentale pour tous ces architectes, mais Venturi a, quant à lui, abandonné les préoccupations structurelles de son « patron », pour choisir une méthode plus souplement fonctionnelle qui se rapproche de celle d'Alvar Aalto. Contrairement à son style d'écrivain, l'architecture de Venturi se développe sans effort. Dans ce domaine il a autant de facilité qu'un architecte baroque et autant de don pour la mise en scène (son projet pour le mémorial de Roosevelt, probablement le meilleur, et certainement le plus original des projets présentés, montre à quel degré de sérénité et de panache peuvent atteindre ses dons pour la scénographie). On ne retrouve pas chez lui ce combat acharné de Kahn, cherchant dans une profonde angoisse à exprimer l'opposition de la structure et de la fonction. Il est parfaitement à l'aise avec les détails, offrant ainsi une résistance indispensable à l'uniformisation technique qui envahit notre horizon. En cela il ne s'oppose en rien à Le Corbusier ni même à Mies Van der Rohe, malgré la régularité universelle des formes créées par ce dernier. La meilleure qualité peut se présenter sous plusieurs aspects cohabitant en ce monde, et cette diversité est ce que l'époque moderne peut offrir de meilleur à l'humanité, ce qui se rapproche le plus de sa nature intrinsèque, beaucoup plus que le conformisme de surface et le conditionnement arbitrairement universel qu'évoquent certaines réalisations de premier plan et que préconisent avec tant d'ardeur les architectes superficiels.

Ce qui est essentiel c'est que la philosophie et l'architecture de Venturi sont une philosophie et une architecture humanistes, ce qui rapproche son livre de l'œuvre fondamentale de Sir Geoffrey Scott « The architecture of humanism » parue en 1914. C'est pourquoi il attache une importance primordiale aux faits et gestes des hommes et à l'influence des formes matérielles sur leur état d'esprit. En cela Venturi est un architecte italien dans la grande tradition — qui prit contact avec cette tradition au cours de ses études d'histoire de l'art à Princeton et de son séjour comme boursier à l'Académie Américaine de Rome. Mais comme le montre nettement son projet de maison de retraite, Venturi est également un des très rares architectes dont la pensée participe du mouvement de peinture Pop Art, et probablement le premier a s'être rendu compte de l'utilité et de la signification des formes créées par ce mouvement. Il a manifestement beaucoup appris auprès des peintres Pop Art au cours de ces dernières années, bien que l'essentiel de sa thèse ait été mise au point au cours des années « cinquante », avant que Venturi ait commencé à s'intéresser au Pop Art. Son expression « Main Street est presque réussie » correspond exactement au point de vue Pop, comme son goût instinctif pour les hors d'échelle dans les petits bâtiments et pour la vie qui se dégage des objets de consommation courante lorsqu'on les isole pour les observer. C'est ici le moment d'évoquer le caractère Pop Art du « Purisme » de Le Corbusier, comme celui des œuvres de jeunesse de Fernand Léger, dont le Pop affirme l'importance historique en tirant à nouveau les leçons de la destruction de l'échelle et de la concentration des effets qu'ils ont découvert. Une fois encore on a l'impression que Le Corbusier avec son tempérament de peintre et de théoricien aurait parfaitement compris la volonté de Venturi d'associer la méthode visuelle aux projets intellectuels.

A ce point de vue il est significatif que les idées de Venturi aient soulevé un très vif ressentiment parmi les esprits les plus académiques de la génération du Bauhaus, ceux qui manquent absolument d'humour, qui dédaignent avec des airs de vieille fille la culture populaire pour s'accrocher en tremblant à n'importe quoi d'autre, qui sont incapables de s'occuper d'architecture monumentale, qui rendent hommage du bout des lèvres à la technique, et qui se préoccupent uniquement d'une esthétique au purisme très collet-monté. La plupart des projets du Bauhaus des années « vingt », qu'il s'agisse d'immeubles ou de mobilier, sont marqués par ces caractères à l'opposé des formes beaucoup plus diverses et généreuses créées par Le Corbusier à la même époque. On peut ainsi, semble-t-il, distinguer dans l'architecture contemporaine deux courants dont l'un serait représenté par Le Corbusier et Venturi, ceux-ci ayant comme on l'a vu une même vision de l'architecture plus vaste et plus humaine que celle des « designers » (*).

Le projet de Venturi pour l'Hôtel de Ville de North Canton dans l'Ohio montre à quel point son architecture est liée aux dernières œuvres de Sullivan ainsi qu'aux courants profonds et inexplorés de l'expérience populaire américaine dans son ensemble. D'un point de vue américain ce projet constitue certainement la plus grande réussite de Venturi, car il nous a de nouveau ouvert les yeux sur la nature des choses telles qu'elles sont aux Etats-Unis — aussi bien dans les petites villes qu'à New York — et sur le fait qu'à partir de nos édifices ordinaires, confus, issus de la production de masse, il construit une architecture solide; il construit un

(*) Note du trad. : expression intraduisible signifiant à la fois dessinateur, décorateur, projeteur, compositeur en architecture.

art. Ce faisant il fait renaître les traditions populaires et la méthode spécifique de la période qui a précédé celles des Beaux-Arts et du style International. Il achève ainsi de renouer le lien avec l'ensemble de notre passé, lien que l'œuvre de maturité de Kahn avait commencé à établir.

Il n'est pas étonnant qu'il y ait peu de personnes au sein de l'actuelle génération de promoteurs qui puissent encore supporter un tel individu. Eux aussi ont un tempérament typiquement américain, celui des petits gamins qui se pressent à la devanture de la confiserie avec leur premier argent de poche à dépenser. Aussi passent-ils généralement leur temps à acheter des vieux rossignols retapés, camelote toute faite préparée par une armée d'entrepreneurs en architecture qui débitent des objets sinistres d'une fausse simplicité, à l'ordonnance de tombeaux : l'emballage moderne « par exellence » (*). A ces gens-là Venturi paraît à la fois trop compliqué et bien trop proche du quotidien, alors qu'eux-mêmes préfèrent de beaucoup, dans leurs formes architecturales comme dans les aspects sociaux de leurs programmes, fermer les yeux sur certains côtés trop exigeants de la réalité. Il s'ensuit que, précisément parce qu'il accepte et utilise les phénomènes sociaux tels qu'ils sont, Venturi est le moins « styliste » des architectes, allant toujours au fond des choses, travaillant rapidement dans s'égarer à des fantaisies prétentieuses ou de nébuleux problèmes secondaires. Bien qu'il ait été formé au contact du Maniérisme, ses réalisations n'ont rien de maniéré, mais sont étonnamment directes. Ainsi c'est une antenne aérienne de télévision dessinée correctement qui couronne sa résidence pour personnes âgées, à l'image exacte de la part que tient la télévision — que ce soit bon ou mauvais, c'est un fait — dans la vie de tous nos vieillards. Que sa dignité en souffre ou non, Venturi travaille dans le concret et pas une seule fois il ne nous cache ce que sont les faits. Au sens le plus pur du terme c'est la fonction qui l'intéresse, ainsi que les formes vigoureuses qui découlent de l'expression fonctionnelle. Contrairement à un trop grand nombre d'architectes de cette génération il n'est jamais de « bon goût ».

Il n'est donc pas étonnant que les constructions de Venturi aient été difficilement acceptées : elles sont à la fois trop nouvelles et, par leur façon d'accommoder les complications, trop véritablement simples et sans prétentions pour ce siècle de riches. Elles refusent de bâtir sur du vent, de se laisser aller à de grands gestes tapageurs, ou de sacrifier bassement à la mode. Elles ne sont que le résultat d'une analyse profondément systématique du programme et des contraintes visuelles, nous obligeant en conséquence à réorienter sérieusement toute notre façon de penser. Il

(*) Note du trad. : en français dans le texte.

s'ensuit que l'image symbolique qui éduquerait notre œil, le préparant à la vue de ces constructions, ne s'est pas encore formée : ce livre pourrait y concourir. Je suis convaincu que l'avenir classera cet ouvrage parmi les quelques textes fondamentaux de notre époque – parce que malgré sa prosaïque absence de prétention et la transformation de la perspective qu'il apporte, passant des Champs-Elysées à Main Street, il reprend le dialogue fondamental amorcé dans les années « vingt », et nous rattache ainsi une fois de plus à la génération héroïque de l'architecture moderne.

Vincent SCULLY

Avant-propos

Ce livre est à la fois un essai de critique architecturale et une justification – c'est-à-dire une explication indirecte de mon œuvre. Parce que je suis un architecte praticien, mes idées sur l'architecture découlent inévitablement de l'esprit critique qui m'accompagne dans mon travail et qui est, comme l'a dit T.S. Eliot, « d'une importance capitale dans le travail de création lui-même. Il est probable en effet que ce terrible labeur qui consiste à passer au crible, à combiner, à construire, à effacer, à corriger, à mettre à l'épreuve, est tout autant une question de critique que de création. Je soutiens même que l'esprit critique appliqué à son propre travail par un écrivain exercé et consciencieux est la forme de critique la plus élevée et la plus capitale » [1]. J'écris donc comme un architecte qui se sert de son esprit critique plutôt que comme un critique d'art spécialisé en architecture, et ce livre représente le rassemblement méticuleux de toutes les remarques, réflexions, façons de voir l'architecture que je trouve valables.

Dans l'essai que je viens de citer, Eliot traite aussi de l'analyse et de la comparaison comme outils de la critique littéraire. Ces méthodes sont également valables pour la critique architecturale : l'architecture est ouverte à l'analyse comme n'importe quelle forme de connaissance, et les comparaisons la rendent beaucoup plus claire. L'analyse comprend la décomposition d'une architecture en éléments, technique que j'utilise fréquemment bien qu'elle soit exactement à l'opposé de la synthèse qui est l'objectif final de tout art. Aussi paradoxal que cela puisse paraître, et malgré la suspicion qu'entretiennent à son égard beaucoup d'architectes modernes, cette dissociation en éléments est un procédé usité par tout créateur, car il est indispensable pour comprendre ce que l'on fait : la conscience participe nécessairement de la création comme de la critique. On a trop tendance aujourd'hui à former des architectes « primitifs » ou totalement spontanés, et l'architecture est un phénomène trop complexe pour être abordé par des personnes qui entretiennent soigneusement leur ignorance.

En tant qu'architecte j'essaie de me laisser guider non

par l'habitude mais par une prise de conscience du passé dont j'examine avec attention les précédents qu'il propose. J'ai choisi mes exemples historiques au sein d'une tradition continue se rapportant aux sujets que je traite. Quand Eliot parle de la tradition, ce qu'il en dit s'applique également à l'architecture, en dépit des changements absolument évidents qui ont été introduits dans la méthode architecturale à la suite des innovations techniques. Eliot dit ainsi « En anglais nous parlons très peu de tradition... le mot lui-même n'apparaît que rarement, sinon pour marquer une désapprobation. S'il arrive qu'à propos d'une œuvre on parle de tradition sur un ton vaguement favorable c'est en sous-entendant qu'il s'agit d'une agréable reconstitution archéologique, d'une œuvre classique en somme... Encore si la seule forme de tradition, de transmission du passé, consistait à suivre les traces de la génération qui nous a précédés, en restant fidèle par aveuglement ou timidité, à ce qui lui a réussi, il faudrait assurément la décourager... mais l'importance de la tradition va beaucoup plus loin que cela. On ne peut l'acquérir par héritage, et si on désire l'obtenir ce sera nécessairement au prix d'un grand effort. Elle implique avant tout d'avoir un sens de l'histoire qui est, nous pouvons le dire, presque indispensable à celui qui voudrait continuer à rester un poète au-delà de sa vingt-cinquième année; et ce sens de l'histoire implique que l'on perçoive le passé non seulement comme passé mais comme présent; ce sens de l'histoire force un homme à écrire non seulement avec du sang de sa propre génération dans les veines, mais avec le sentiment que l'ensemble de la littérature européenne... est présente simultanément devant lui suivant une ordonnance bien composée. Ce sens de l'histoire qui est le sentiment de l'éternité en même temps que celui de la temporalité, et même le sentiment simultané de l'éternité et de la temporalité, c'est ce qui permet à un écrivain d'être traditionnel, et aussi bien c'est ce qui donne à un écrivain une conscience plus aiguë de son insertion dans le temps, de sa contemporanéité... Aucun poète, aucun artiste quel qu'il soit, ne peut être bien compris si on l'isole de son milieu. » [2] Je partage l'opinion d'Eliot et regrette l'obsession de ces architectes modernes qui, pour citer Aldo Van Eyck, « n'ont pas cessé de rabâcher que c'est si différent à notre époque, à tel point qu'ils ont complètement perdu de vue ce qui n'est pas différent, ce qui est essentiellement permanent. » [3]

Les exemples que j'ai choisis reflètent mon parti-pris en faveur de certaines époques : spécialement le maniérisme, le Baroque et le Rococo. Comme le dit Henry-Russel Hitchcock « il existe toujours un réel besoin de reconsidérer les œuvres du passé. Il y a lieu de croire qu'on trouve chez presque tous les architectes un intérêt général pour l'histoire de l'architecture, mais les périodes ou les aspects de l'histoire qui semblent à un moment donné retenir particulièrement l'attention varient certainement au fur et à mesure qu'évolue la sensibilité »[4] : en tant qu'artiste je parle en toute franchise de ce que j'aime en architecture : les œuvres complexes et contradictoires. En découvrant ce que nous aimons – ce qui nous attire facilement – on peut apprendre beaucoup sur ce que nous sommes réellement. Louis Kahn faisait référence à « ce qu'une chose désire être », mais cette expression sous-entend implicitement son inverse « ce que l'architecte désire que devienne une chose ». C'est l'opposition et l'équilibre entre ces deux règles de conduite qui guident l'architecte dans la plupart de ses décisions.

J'ai introduit dans mes exemples comparés des constructions sans beauté ni grandeur particulières, que j'ai détachées abstraitement de leur contexte historique parce que c'est moins sur le style que sur les caractéristiques spécifiques inhérentes à ces bâtiments que je m'appuie dans ces comparaisons. C'est en architecte que j'écris et non en érudit, aussi ma vision de l'histoire est celle que décrit Hitchcock : « il fut un temps où, naturellement, presque toute recherche sur l'architecture du passé était destinée à faciliter sa reconstitution à l'identique – était le moyen d'une nouvelle renaissance. Cela n'est plus vrai et il n'y a pas de raisons de croire que cela puisse le redevenir à notre époque. Car dans les premières années du vingtième siècle les architectes, tout autant que les historiens de l'architecture (quand ils ne passaient pas tout leur temps à chercher dans l'histoire des arguments frais pour alimenter leurs combats polémiques quotidiens...), nous ont appris à considérer d'un point de vue abstrait toute architecture comme trompeuse, bien que cette façon étroite de voir les choses ne doive probablement s'appliquer qu'à ces architectes, dotés d'une sensibilité complexe, qui ont créé la plupart des grandes œuvres du passé. Si nous réexaminons, ou si nous découvrons aujourd'hui tel ou tel aspect des œuvres de ceux qui nous ont précédés, ce n'est pas avec l'intention d'en répéter les formes mais dans l'espoir de nous enrichir sous l'influence de créations autrement plus neuves par la sensibilité que ne l'est l'ensemble de la production architecturale contemporaine. Pour le pur historien il peut sembler regrettable d'introduire ainsi des éléments très largement subjectifs dans ce qu'il pense devoir être des études objectives – et pourtant le pur historien se trouvera, plus souvent qu'il ne croit, en train de suivre des voies qu'auront déjà frayées des girouettes plus sensibles que lui ».[5]

Je ne fais aucun effort particulier pour essayer de relier l'architecture à autre chose. Je n'ai pas cherché à « améliorer les relations entre la science et la technique d'une part, les sciences humaines et sociales de l'autre »... ni « à faire de l'architecture un art social plus humain »[6]. Je m'efforce de parler d'architecture et non à propos de l'architecture. Sir John Summerson a fait allusion aux architectes obsédés

« par l'importance non de l'architecture mais de ce qui relie l'architecture à autre chose » [7]. Il a fait remarquer qu'au cours de ce siècle les architectes ont substitué la « pernicieuse analogie » à l'imitation éclectique qui régnait au dix-neuvième siècle, et ont passé leur temps à revendiquer pour l'architecture au lieu de produire de l'architecture [8]. Ceci nous a conduit à l'urbanisme actuel fait de schémas et de diagrammes. L'architecte voit son influence diminuer sans cesse pendant que croît son incapacité à modeler l'ensemble de notre environnement mais, paradoxalement, c'est en réduisant le champ de son activité et en se concentrant sur son propre travail qu'il pourra peut-être inverser le courant : peut-être qu'alors les relations à l'environnement et l'influence viendront d'elles-mêmes. J'accepte ce qui me semble constituer des servitudes inhérentes à l'architecture et je m'efforce de concentrer mon attention sur tout ce que ses détails concrets comportent de difficultés plutôt que sur les abstractions faciles que l'on peut émettre à son sujet... « parce que, comme disaient les anciens, les arts appartiennent au domaine de l'intelligence pratique et non à celui de l'intelligence spéculative, rien ne peut remplacer un travail acharné. » [9]

Ce livre traite du présent, et du passé considéré par rapport au présent. Il ne cherche pas à être visionnaire sauf dans la mesure où le futur fait déjà partie du présent. Il n'est polémique qu'indirectement. Se situer constamment dans le contexte de l'architecture courante, le conduit à s'attaquer à certaines cibles : d'une manière générale l'étroitesse de vues de l'architecture moderne et de l'urbanisme orthodoxes, et plus particulièrement les architectes qui débitent des banalités en prétextant que l'honnêteté, la technique, ou la programmation sur machines électroniques, sont les objectifs de l'architecture, les vulgarisateurs qui « fabriquent des contes de fées pour cacher le chaos qui règne dans la réalité » [10] et qui suppriment tous les aspects complexes et contradictoires qui sont pourtant inhérents à l'art et à la vie. Cela n'empêchera pas que ce livre, sans négliger de s'élever contre ce qui me semble mauvais, soit d'abord une analyse de ce qui me semble bon pour l'architecture de notre temps.

1. *Petit manifeste en faveur d'une architecture équivoque*

J'aime que l'architecture soit complexe et contradictoire. Non pas que j'aime l'architecture incohérente ou arbitraire due à des créateurs incompétents, ni les complications recherchées par goût du pittoresque ou de l'expressionnisme. Ce dont je veux parler, au contraire, c'est d'une architecture complexe et contradictoire fondée sur la richesse et l'ambiguïté de la vie moderne et de la pratique de l'art. Partout sauf en architecture, la combinaison dialectique de la complexité et de la contradiction interne est une notion reconnue, qu'il s'agisse de l'incompatibilité fondamentale des mathématiques prouvée par Godel, des difficultés de la poésie analysées par T.S. Eliot, ou du caractère paradoxal de la peinture défini par Joseph Albers.

Mais l'architecture est nécessairement complexe et contradictoire par le fait même qu'elle veut satisfaire en même temps les trois éléments de Vitruve : commodité, solidité et beauté. Et aujourd'hui les contraintes dues au programme, à la structure, aux équipements techniques et à l'expression sont, même dans des bâtiments isolés situés dans des contextes simples, différentes et incompatibles, à un point dont on n'avait jusqu'ici pas idée. La difficulté s'accroît du fait que l'urbanisme et l'aménagement régional modifient les dimensions et l'échelle de l'architecture. Pour moi ces problèmes sont les bienvenus car j'exploite les équivoques. En adoptant la complexité et la contradiction interne, je cherche à atteindre le vivant en même temps que la volonté.

Les architectes n'ont aucune raison de se laisser plus longtemps intimider par la morale et le langage puritains de l'architecture moderne orthodoxe. Ce que j'aime des choses c'est qu'elles soient hybrides plutôt que « pures », issues de compromis plutôt que de mains propres, biscornues plutôt que « sans détours », ambiguës plutôt que clairement articulées, aussi contrariantes qu'impersonnelles, aussi ennuyeuses qu'attachantes, conventionnelles plutôt qu'« originales », accommodantes plutôt qu'exclusives, redondantes plutôt que simples, aussi antiques que novatrices, contradictoires et équivoques plutôt que claires et nettes. A l'évidence de l'unité je préfère le désordre de la vie. J'admets les solutions de continuité et suis le champion du dualisme.

J'aime mieux les objets riches en significations que ceux dont la signification est claire; j'admets les fonctions implicites tout autant que les fonctions explicites. A « l'un ou l'autre » je préfère « l'un et l'autre », au blanc ou noir, le blanc et noir et parfois le gris. Une architecture est valable si elle suscite plusieurs niveaux de signification et plusieurs interprétations combinées, si on peut lire et utiliser son espace et ses élements de plusieurs manières à la fois.

Mais il est un impératif absolu auquel une architecture fondée sur la complexité et la contradiction est spécialement tenue d'obéir : on doit la considérer comme un tout. L'unité qu'elle doit incarner est celle qui tient compte de tout, même si c'est difficile, plutôt que celle qui exclut, bien que ce soit plus facilc. « More is not less ». (*)

2. *La complexité et la contradiction interne s'opposent à la simplification et au pittoresque*

Les architectes modernes orthodoxes n'ont, en général, porté à la complexité qu'un intérêt insuffisant, inconstant et inconsistant. Dans leur effort pour rompre avec la tradition et repartir sur de nouvelles bases ils ont choisi comme idéal ce qui est primitif et élémentaire, aux dépens de ce qui est diversifié et compliqué. En bons militants d'un mouvement révolutionnaire ils ont salué avec enthousiasme la nouveauté des fonctions modernes, mais en ont ignoré les complications. En bon réformateurs ils ont prêché une rigoureuse et exclusive séparation des éléments plutôt que d'admettre l'enchevêtrement des divers besoins et leur juxtaposition. En bon précurseur du mouvement Moderniste, Frank Lloyd Wright dont la devise était « La vérité contre le monde », écrivait : « la découverte de la simplicité me parut d'une telle portée et les constructions qui me furent révélées me semblèrent si harmonieuses que... je fus convaincu qu'elles transformeraient et enrichiraient la pensée et la culture du monde moderne » [11]. De même Le Corbusier, cofondateur

(*) Note du trad. : cette expression dont la concision ne peut être transposée en français répond à la fameuse devise de Mies Van der Rohe : « Less is more ». On peut la traduire approximativement par « ce n'est pas diminuer — l'architecture — que d'y ajouter quelque chose! »

du Purisme, parlait des « grandes formes primaires » dont il proclamait « la netteté et l'absence d'ambiguïté » [12]. A quelques exceptions près tous les architectes modernes ont rejeté l'ambiguïté.

Mais aujourd'hui nous sommes dans une situation différente : « En même temps que les problèmes deviennent plus nombreux, plus complexes et plus difficiles à résoudre qu'avant, il se renouvellent aussi plus souvent » [13] et exigent que l'on prenne à leur égard une attitude assez semblable à celle que décrit August Heckscher : « Tout homme qui mûrit passe d'une conception d'où la vie lui paraît essentiellement simple et ordonnée, à une autre où la vie lui semble complexe et paradoxale. Mais il existe des époques où cette transformation est particulièrement encouragée : alors le climat intellectuel tout entier est imprégné de cette vision paradoxale et dramatique de la vie... Le rationalisme est issu de l'ordre et de la simplicité mais il s'est montré inadapté aux périodes de transformation de la Société. Dans ces moments-là il s'agit de trouver un équilibre entre les conceptions qui s'affrontent. Pour acquérir cette paix intérieure les hommes doivent s'appuyer sur la tension et l'incertitude que créent des contraintes opposées... Le goût du paradoxe permet de laisser se côtoyer des choses apparemment dissemblables, et de cette dissonance même, naît une sorte de vérité » [14].

Pourtant la rationalisation par simplification est encore très en vogue, mais avec plus de subtilités que dans les premières théories. Elle se développe aujourd'hui à partir du magnifique paradoxe de Mies Van der Rohe : « less is more » (*). Paul Rudolph a parfaitement exprimé ce que sous-entendait cette devise de Mies : « on ne peut jamais résoudre tous les problèmes... en effet ce qui est caractéristique du 20e siècle, c'est que les architectes procèdent à une sélection rigoureuse des problèmes qu'ils choisissent de résoudre. Mies par exemple ne réalise de merveilleuses constructions que parce qu'il ignore délibérément beaucoup d'aspects de la construction. S'il voulait résoudre un plus grand nombre de problèmes, ses bâtiments perdraient une grande partie de leur force. » [15]

C'est l'expression qui justifie cette sélection aux yeux des tenants de la doctrine « less is more », et c'est elle qui leur fait déplorer la complexité des problèmes. Cette doctrine permet en effet aux architectes de « procéder à une sélection rigoureuse des problèmes qu'ils choisissent de résoudre », mais si on doit « faire confiance à l'architecte et lui laisser suivre sa propre vision de l'univers » [15] cette confiance aboutira nécessairement à ce que l'architecte décidera de la façon dont on doit résoudre les problèmes, et non plus des

(*) Note du trad. : littéralement « moins c'est plus ». La concision de cette expression est impossible à transposer en français. Cf. note ci-dessus page 23.

problèmes qu'il choisira de résoudre. Il ne peut refuser de prendre en considération certains aspects importants, qu'en courant le risque de séparer l'architecture de la vie et des besoins de la Société. Si certains problèmes paraissent insolubles, ne pourrait-il alors se dire ceci : dans une architecture qui intègre tout au lieu d'exclure, il y a place pour les fragments, les contradictions, les improvisations et pour toutes les tensions qui en résultent... Les ravissants pavillons de Mies Van der Rohe sont un apport précieux à l'architecture, mais ils sont limités par ce qui fait en même temps leur force, c'est-à-dire le fait que leur contenu et leur expression procèdent d'une élimination.

Je conteste que l'on puisse trouver des analogies pertinentes entre les pavillons et les maisons d'habitation, en particulier entre les pavillons japonais et les programmes contemporains d'architecture domestique. Les pavillons ignorent la complexité et les contradictions internes qui sont véritablement inhérentes au programme de la maison d'habitation et qui proviennent aussi bien des nécessités spatiales et techniques que du besoin de variété dans les expériences visuelles. Vouloir obtenir à toute force la simplicité ne peut conduire qu'à des simplifications excessives. C'est ainsi que dans sa Wiley House (1) et contrairement à sa maison de verre (2) Philips Johnson s'est efforcé de dépasser la simplicité du pavillon élégant. Il a séparé explicitement, en les articulant, les fonctions de « la vie privée » qu'il a enfermées dans un socle constitué par le rez-de-chaussée de sa construction, des fonctions publiques « de réception » qu'il a situées dans l'espace ouvert du pavillon ordonnancé qui surmonte la maison. Mais même dans ce cas la construction se limite à un schéma de programme d'habitation simplifié à l'extrême. Une théorie abstraite en noir et blanc. Quand la simplicité ne convient pas au programme, elle devient simplisme. Des simplifications criardes donnent une architecture sans saveur. « Less is a bore ». (*)

L'importance attachée à la complexité en architecture ne contredit pas ce que Louis Kahn a appelé « le besoin de simplicité ». Mais la simplicité esthétique qui satisfait l'esprit n'est valable et profonde que si elle repose sur la complexité interne. La simplicité manifeste du temple dorique n'est atteinte que grâce à des déformations géométriques bien connues pour leur subtilité et leur précision, et elle découle des contradictions et des tensions inhérentes à l'ordre dorique. Aussi le temple dorique n'obtient cette simplicité apparente qu'en s'appuyant sur une structure véritablement complexe. Quand cette complexité disparaît,

1

2

(*) Note du trad. : littéralement « moins c'est assommant ». Jeu de mot intraduisible sur la célèbre devise de Mies Van der Rohe : « Less is more » (Cf. notes ci-dessus pages 23 et 24).

comme dans les temples doriques décadents, la simplicité tourne à la fadeur.

La complexité ne nie pas non plus la valeur de la simplification en tant qu'étape dans le processus d'analyse ni en tant que méthode pour réaliser une architecture complexe. « Nous simplifions exagérément un événement lorsque nous le décrivons en ne nous fondant que sur le point de vue d'une seule des personnes concernées » [16]. Mais cette façon de simplifier pendant la phase d'analyse n'est qu'un moyen d'aboutir à un art complexe, et ne doit pas être prise indûment pour le but à atteindre.

Par ailleurs une architecture fondée sur la complexité et la contradiction n'a rien à voir avec le goût du pittoresque ou de l'expressionnisme subjectif. Récemment une fausse complexité a pris le contrepied de la fausse simplicité issue des pionniers de l'architecture moderne. Elle préconise une architecture aux effets de symétrie pittoresques — ce que Minoru Yamasaki appelle « sérénité » — mais représente un nouveau formalisme tout aussi éloigné de la réalité expérimentale que le culte de la simplicité qu'elle remplace. Ses formes enchevêtrées ne sont pas véritablement le reflet de programmes complexes, et ses décorations compliquées, bien qu'elles soient exécutées suivant des techniques industrielles, rappellent avec sécheresse des formes qui avaient été créées à l'origine pour des techniques artisanales. Les entrelacs gothiques et la rocaille Rococo n'avaient pas seulement une fonction expressive par rapport à l'ensemble d'un bâtiment, mais ils mettaient en valeur l'habileté des tours de main, et témoignaient d'une vitalité issue du caractère direct et individuel de la technique. Ce type de complexité par l'exubérance, probablement impossible à pratiquer aujourd'hui, est à l'opposé de l'architecture « sereine », malgré des ressemblances superficielles. Ainsi ce qui caractérise notre art, n'est pas l'exubérance mais la tension, beaucoup plus que la sérénité ou ce qui voudrait en donner l'air.

Les meilleurs architectes du vingtième siècle ont généralement rejeté la simplification — qui est la simplicité obtenue par réduction — pour lui substituer la complexité à l'intérieur d'un tout. Les œuvres d'Alvar Aalto et de Le Corbusier (qui contredisent souvent ses écrits polémiques) en sont des exemples. Mais leur caractère complexe et contradictoire est souvent ignoré ou mal compris. Ce que la plupart des critiques aiment chez Aalto, par exemple, c'est sa sensibilité dans le choix des matériaux naturels et la beauté de ses détails, et ils considèrent ses compositions d'ensemble comme délibérément pittoresques. Pour ma part je ne trouve pas que le temple qu'a construit Aalto à Imatra soit pittoresque. Traduisant dans ses volumes la complexité authentique du plan divisé en trois parties et de la structure acoustique du plafond (3), ce temple correspond à un expression-

3

nisme légitime différent du pittoresque délibéré qu'a recherché Giovanni Michelucci en créant au petit bonheur la structure et les espaces intérieurs de sa récente église pour l'Autostrade (4). La complexité d'Aalto est inscrite dans le programme et la structure d'ensemble au lieu d'être un procédé se justifiant uniquement par le désir d'expression. Bien que nous ne voulions pas discuter plus longtemps de la primauté de la forme ou de la fonction (ni du point de savoir laquelle précède l'autre), nous ne pouvons ignorer leur interdépendance.

4

Le désir d'une architecture complexe et des contradictions qui l'accompagnent n'est pas seulement une réaction contre la banalité ou la mignardise de l'architecture courante. C'est une attitude commune à toutes les périodes Maniéristes : le seizième siècle en Italie, ou la période Hellénistique dans l'art classique, et c'est également un courant permanent que l'on retrouve chez des architectes aussi divers que Michel-Ange, Palladio, Borromini, Vanbrugh, Hawksmoor, Soane, Ledoux, Butterfield, quelques architectes de l'école Shingle, Furness, Sullivan, Luytens, et récemment Le Corbusier, Aalto, Kahn et d'autres.

Aujourd'hui cette attitude est de nouveau légitimement applicable tant à l'atmosphère architecturale, qu'au rôle du programme en architecture.

Tout d'abord il faut réexaminer le caractère même de l'architecture si l'on veut exprimer que la portée de celle-ci s'accroît et que ses objectifs se compliquent. Des formes simplifiées ou superficiellement compliquées ne conviennent plus du tout. A la place il faut, une fois de plus, reconnaître et mettre en application les solutions variées propres à une perception visuelle ambiguë.

Il faut noter en second lieu la complexité croissante des problèmes de fonctionnement qui nous sont posés : je parle bien entendu de ces programmes propres à notre époque que leurs dimensions rendent si complexes, tels que les laboratoires de recherche, les hôpitaux et surtout les énormes projets à l'échelle d'une ville ou d'une région. Mais même une maison individuelle aux dimensions limitées, est complexe s'il s'agit en définitive d'exprimer les ambiguïtés de la vie contemporaine. Ce contraste entre les moyens et les objectifs d'un programme est significatif. Bien que les moyens mis en œuvre dans le programme de construction d'une fusée destinée à atteindre la lune, par exemple, soient d'une complexité presque infinie, le but visé est simple et contient peu de contradictions; bien que les moyens mis en œuvre dans les programmes de construction d'immeubles soient beaucoup plus simples et d'une technologie beaucoup moins raffinée que n'importe quel projet industriel, le but en est plus complexe et souvent ambigu par essence.

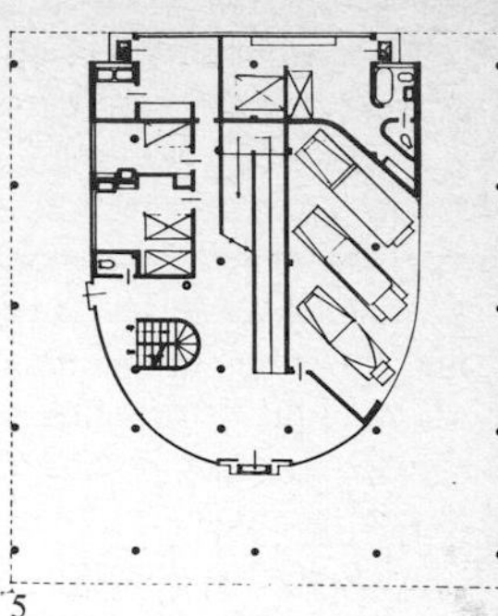

5

6

3. *L'ambiguïté*

Nous venons de distinguer en architecture deux types de complexité et de contradiction : alors que dans le second type ces qualités sont liées à la forme et au contenu en tant qu'expressions du programme et de la structure, dans le premier cas c'est du caractère de l'architecture qu'elles découlent grâce au phénomène paradoxal de la perception et au processus d'apparition même de la signification dans l'art. La complexité et la contradiction résultent alors de la juxtaposition de l'image et de ce qu'elle représente : ce que Joseph Albers appelle « la discordance entre le fait matériel et son impact psychologique », contradiction qui est à « l'origine de l'art ». Et, en effet, il est généralement admis par la critique d'art que la peinture se caractérise par la complexité des significations, d'où procèdent ambiguïté et tension. L'expressionnisme abstrait tient compte des ambiguïtés de la perception, et le style Op Art est fondé dans sa forme et son expression sur des juxtapositions produisant des effets mobiles et sur des dualités ambiguës. Quant aux peintres Pop ils utilisent l'équivoque pour donner aux formes un contenu paradoxal tout en exploitant les potentialités de la perception.

7

Les critiques littéraires ont eux aussi fini par reconnaître la complexité et la contradiction comme moyens d'expression. Comme le fait l'histoire de l'architecture, ils parlent d'une époque littéraire baroque, mais contrairement à la plupart des critiques d'architecture ils admettent que ce courant maniériste se perpétue à travers certains poètes. Certains critiques ont souligné depuis longtemps que les qualités de contradiction, de paradoxe et d'ambiguïté étaient fondamentales comme véhicules de la poésie, ce qui rejoint tout à fait la pensée d'Albers au sujet de la peinture.

8

Eliot jugeait « impur » [17] l'art Elizabethain parce qu'il tire parti de la complexité et de l'ambiguïté. Dans une pièce de Shakespeare, disait-il, « il y a plusieurs niveaux de signification » [18] là où, citant Ben Jonson, « les idées les plus hétéroclites sont violemment accouplées » [19] et il écrit ailleurs : « le cas de John Webster... nous offre l'exemple très intéressant d'un très grand génie littéraire et dramatique conduit au chaos » [20]. D'autres critiques tels Kenneth Burke parlant « d'interprétation pluraliste » et « d'incongruité organisée » ont analysé les éléments paradoxaux et ambigus dans la structure et la signification d'œuvres poétiques autres que celles des poètes métaphysiques du dix-septième siècle et des poètes modernes qui en ont subi l'influence.

Cleanth Brooks juge indispensable l'usage de la complexité et de la contradiction, comme formant l'essence même de l'art « car ce sont des motifs beaucoup plus sérieux que le goût vaniteux pour l'effet emphatique, qui ont conduit les poètes, les uns après les autres, à choisir l'ambiguïté et le paradoxe plutôt qu'une claire et logique simplicité. Il ne suffit pas au poète d'analyser son expérience comme le ferait un scientifique, la décomposant en parties, séparant ces parties les unes des autres puis les classant. Il doit finalement pour nous la transmettre la ramener à un tout unique, aussi unique que l'expérience de chacun tel qu'il la ressent... Comme le poète... doit forcément exagérer l'unicité de son expérience tout en préservant sa diversité, on voit la nécessité où il se trouve de se servir du paradoxe et de l'ambiguïté. Ce n'est pas simplement pour redonner du goût par une grandiloquence trompeuse et une émotion superficielle, au bon vieux pot au feu rassis... c'est plutôt pour nous donner une vision qui conserve l'unité de l'expérience et qui dans son sens le plus profond surmonte les contradictions et les antagonismes apparents entre ses différents aspects, grâce à une présentation neuve et unificatrice ». [21].

Et dans son livre *Sept types d'ambiguïté* William Empson n'hésite pas à considérer que la principale qualité poétique est l'imprécision du sens, qui avait jusqu'alors été tenue en poésie pour un défaut. [22] Empson appuie sa théorie sur des citations de Shakespeare « roi de l'ambiguïté, pas tant parce que ses idées seraient confuses ou son discours embrouillé, comme le croient certains intellectuels, mais plus simplement par la puissance et la complexité de son intelligence et de son art ». [23].

Une architecture de complexité et de contradictions abonde en ambiguïtés et en tensions. Elle est forme *et* fond, abstraite *et* concrète, et sa signification découle tout autant de ses caractéristiques internes que du contexte particulier dans lequel elle s'insère. Un élément architectural est perçu à la fois comme forme *et* structure, matière *et* matériau.

De ces relations alternatives, complexes et contradictoires, procèdent l'ambiguïté et la tension qui caractérisent l'atmosphère architecturale. Elles apparaissent généralement sous la forme d'une question où figure la conjonction ou : La villa Savoie (5) : est-ce un plan carré ou non? Les avant-corps de Van Brugh à Grimsthorpe (6) sont équivoques par la taille quand on les compare de loin aux pavillons du bâtiment principal : sont-ils proches ou éloignés, grands ou petits? Les pilastres du Bernin au palais de la Propaganda Fide (7) sont-ce des pilastres en saillie ou des panneaux en creux? La décoration de la voûte du Casino Pie V au Vatican (8) est gênante : est-ce le prolongement du mur ou celui de la

9

10

11

12

voûte? La dépression centrale dans la façade de Luytens à Nashdom (9) facilite l'éclairage zénithal : la dualité qui en résulte est-elle volontaire ou non? Quant à l'immeuble de Luigi Moretti sur la via Parioli à Rome (10) : est-ce un seul immeuble fendu en deux, ou deux immeubles accolés?

Une expression volontairement ambiguë se fonde sur le caractère confus de l'expérience telle qu'elle se reflète dans le programme du bâtiment. Elle favorise la richesse de signification aux dépens de la clarté de la signification. Comme l'admet Empson, il y a une bonne et une mauvaise ambiguïté : « ... (son ambiguïté) peut servir à condamner un poète pour ses opinions confuses, plus souvent qu'à vanter l'organisation complexe de son esprit. »[24] Néanmoins, d'après Stanley Edgar Hyman, Empson pense que l'ambiguïté « se concentre précisément dans les passages où l'on trouve la plus grande efficacité poétique, et qu'elle engendre une qualité qu'il nomme « tension », et que l'on pourrait désigner comme l'impact poétique lui-même »[25]. Ces idées s'appliquent très bien à l'architecture.

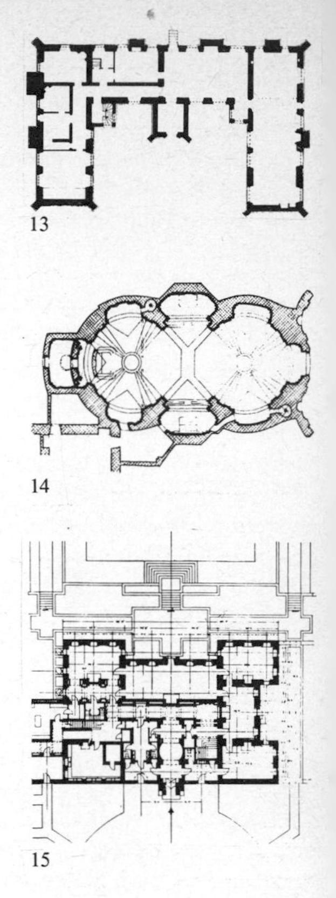
13
14
15

4. Niveaux contradictoires : Le phénomène du « à la fois » en architecture

En architecture des niveaux de signification et de fonctionnement qui se contredisent entraînent des contrastes et des paradoxes qui s'expriment par la conjonction « mais ». Ils peuvent être plus ou moins ambigus : la maison Shodan de Le Corbusier (11) est fermée mais ouverte. C'est un cube délimité avec précision par ses angles, mais ouvert au hasard de ses faces; sa villa Savoie (12) est simple vue de l'extérieur, mais complexe à l'intérieur. Le plan Tudor de Barrington Court (13) est symétrique, mais dissymétrique. L'église de l'Immaculée Conception construite par Guarini à Turin (14) est double par son plan, mais unique par son volume. Le hall d'entrée qu'a conçu Sir Edwyn Luytens pour Middletown Park (15, 16) est un espace orienté, mais se termine par un mur aveugle. La façade de Vignole pour le pavillon de Bomarzo (17) comprend un porche, mais c'est un portique aveugle. Les constructions de Kahn sont faites de béton brut mais aussi de granit poli. Une rue dans une ville est orientée en tant que voie de circulation, mais statique en tant qu'espace. Cette série de conjonctions « mais » décrit une architecture où divers niveaux de programme et de structure se contredisent. Aucune de ces contradictions n'a été voulue par recherche esthétique mais pas plus que les paradoxes, n'est-elle née du caprice.

Cleanth Brooks prétend que l'art de Donne « affirme deux choses en même temps », mais dit-il, de nos jours personne n'est capable de le faire. Nous obéissons à la tradition du « l'un ou l'autre » et manquons de l'agilité d'esprit — pour ne pas dire de la maturité — qui nous permettrait de nous livrer aux plus fins distinguos et aux arrière-pensées les plus subtiles qu'autorise la tradition du « à la fois » [26]. C'est la tradition du « l'un ou l'autre » qui caractérise l'architecture moderne orthodoxe : un pare-soleil ne sert en général qu'à cela; un support est rarement clôture; un mur n'est pas percé de fenêtres mais complètement interrompu par les vitrages; chaque fonction du programme fait l'objet d'un volume distinct, ou même de bâtiments séparés. Même « l'espace ouvert » ou « fluide » signifie un intérieur traité en espace extérieur, ou l'inverse, et non que cet espace peut être en même temps intérieur et extérieur. Cette façon de manifester la clarté et la bonne articulation des fonctions n'a rien à voir avec une architecture de complexité et de contradictions qui cherche à intégrer (« à la fois ») plutôt qu'à exclure (« l'un ou l'autre »).

Si le phénomène du « à la fois » provient de la contradiction, il se fonde sur une hiérarchie des éléments qui leur attribue des valeurs diverses en les classant à différents niveaux de signification. Les éléments peuvent être en même temps beaux et laids, grands et petits, ouverts et fermés, continus et articulés, ronds et carrés, structure et espace. Une architecture qui contient plusieurs niveaux de signification engendre l'ambiguïté et la tension.

La plupart des exemples sont difficiles à déchiffrer, mais une architecture obscure est valable quand elle est le reflet de la complexité et des contradictions de son contenu et de sa signification. Saisir simultanément un grand nombre de niveaux provoque chez l'observateur des efforts et des hésitations et rend sa perception plus vive.

Des exemples qui sont en même temps bons et mauvais peuvent d'une certaine façon expliquer la réflexion énigmatique de Kahn : « l'architecture doit contenir des mauvais espaces aussi bien que des bons ». L'irrationalité apparente d'un élément se justifiera par la rationalité qui en résultera au niveau de l'ensemble; ou bien les caractéristiques d'un élément feront l'objet d'un compromis dans l'intérêt du tout. Décider de tels compromis est l'une des tâches principales de l'architecte.

A Saint-George-in-the East (18) Hawksmoor a surmonté les fenêtres du transept de clés de voûte d'une taille exagérée qui sont tout à fait incorrectes au niveau du détail : si on les regarde de près elles paraissent beaucoup trop grosses par

16

17

18

rapport à la taille des ouvertures qu'elles couronnent. Mais quand on les voit de plus loin et qu'on les juge par rapport à l'ensemble de la composition leur taille et leur échelle sont excellentes. Les énormes ouvertures rectangulaires que Michel-Ange a placée dans l'attique de la façade arrière de Saint-Pierre de Rome (19), sont plus larges que hautes si bien que le linteau porte sur le plus grand côté. C'est une mauvaise solution si on pense aux limites de portée de la maçonnerie traditionnelle d'où découlait dans l'architecture classique la règle : une grande ouverture (comme celles-là) doit être plus haute que large. Mais c'est justement parce que l'on s'attend à des proportions verticales que le fait de porter sur le côté le plus long met nettement et valablement en évidence l'exiguïté *relative* de ces ouvertures.

L'escalier principal de l'Académie des Beaux Arts de Philadelphie (20) construite par Frank Furness est trop grand par rapport à l'espace qui l'entoure immédiatement. Il aboutit sur un volume plus étroit que lui et fait face à une ouverture également plus étroite. De plus cette ouverture est divisée en deux par un pilier. Mais cet escalier est solennel et son rôle est symbolique, car il conduit dans le hall situé juste derrière l'ouverture en question, à l'ensemble du bâtiment et jusqu'à l'extérieur dans la vaste étendue de Broad Street. Les deux volées latérales de l'escalier que Michel-Ange a placé dans le vestibule des Sacristies de Saint Laurent (21) s'interrompent brusquement et ne conduisent en fait nulle part : comme dans l'exemple précédent la taille de cet escalier n'est pas en proportion avec l'espace qu'il occupe : il est pourtant tout à fait correct si on tient compte du contexte d'ensemble des espaces qui l'entourent.

19

Les fenêtres situées à l'extrémité du pavillon central du palais de Blenheim (22) construit par Vanbrugh, sont inconvenantes car elles sont divisées en deux par un pilastre : ce dédoublement nuit à leur unité. Mais cette imperfection indéniable accentue par contraste la baie centrale et renforce l'unité d'ensemble de cette composition complexe... Les pavillons qui accompagnaient le château de Marly (23) comportaient une singularité du même genre. L'agencement de leur façade en deux baies jumelles manquait d'unité mais renforçait l'unité de la composition d'ensemble. Leur caractère incomplet impliquait la prédominance du château et complétait l'ensemble. Le plan basilical à espace unidirectionnel et le plan central à espace omnidirectionnel représentent les deux plans d'église traditionnels en Occident. Mais c'est une autre tradition que suivent les églises bâties sur le principe du « à la fois », en réponse à des exigences d'espace, de structure, de programme, et symboliques. Le plan elliptique maniériste du seizième siècle est à la fois central et orienté. Son point culminant en est Sant'Andrea al Quirinale du Bernin (24), dont l'axe principal est paradoxalement le petit axe. Nikolaus Pevsner a montré que le grand axe de

20

21

22

23

24

25

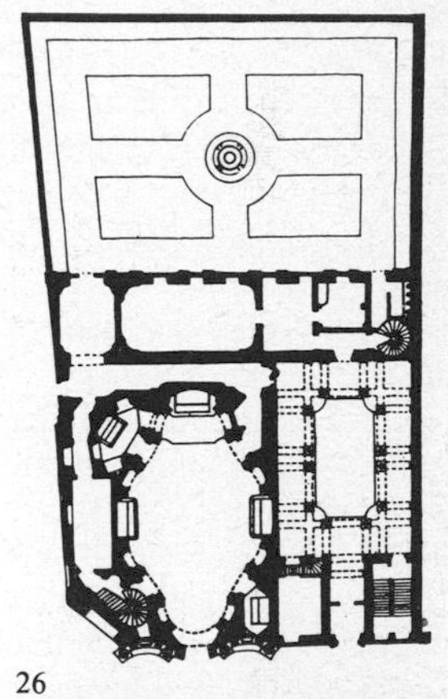

26

27

l'ellipse bute à ses deux extrémités sur des pilastres et non sur des absides, ce qui accentue le petit axe et oriente l'église vers l'autel. En plan la chapelle de Boromini à la Propaganda Fide (25) est un volume orienté mais le rythme des baies contredit cette impression : une grande baie occupe le petit côté alors que le grand côté n'est percé que d'une petite baie en son centre. Les coins arrondis, également, donnent l'impression d'un pourtour continu et l'idée d'un plan central. (Ces particularités apparaissent aussi dans le cloître de San Carlo alle Quattro Fontane). Et les nervures qui quadrillent la voûte en diagonale supposent une structure omnidirectionnelle qui est plus d'une coupole que d'une voûte. Sainte-Sophie à Istambul présente une ambiguïté similaire. Sa coupole centrale reliée à un plan carré par des pendentifs suppose une église à plan central, mais ses absides avec leur demi-coupole créent un axe longitudinal dans la tradition de la basilique orientée. Le plan en fer-à-cheval de l'opéra baroque et néo-baroque converge à la fois vers la scène et vers le centre de la salle. La convergence vers le centre de l'ellipse se reflète en général dans les dessins ornementaux du plafond et l'énorme lustre central; la convergence vers la scène apparaît dans la déformation du plan elliptique et l'orientation des cloisons séparant les loges qui l'entourent, aussi bien que dans la rupture que crée la scène elle-même, bien sûr, et dans la disposition des sièges de la fosse d'orchestre. Ceci est le reflet du double centre d'intérêt que propose le programme d'une soirée théâtrale : le spectacle et le public.

28

29

San Carlo alle Quattro Fontane de Borromini (26) abonde en exemples ambigus de « à la fois ». Le traitement presque identique des quatre branches tel qu'il apparaît sur le plan suggère une croix grecque, mais les branches ont subi une déformation orientée selon un axe est-ouest, suggérant ainsi une croix latine et la continuité fluide des murs dénote un plan circulaire déformé. Rudolf Wittkower a mis en évidence des contradictions similaires dans la coupe. Le motif du plafond avec l'articulation de ses moulures complexes suggère une coupole sur pendentifs à l'intersection d'une croix grecque (27). La forme du plafond dans sa continuité enveloppante déforme ces éléments en des parodies d'eux-mêmes et suggère plutôt une coupole engendrée par la courbure d'un mur. Ces éléments déformés sont à la fois continus et articulés. A une autre échelle la forme et les motifs décoratifs jouent de la même manière des rôles contradictoires. Par exemple le profil du chapiteau byzantin (28) le rend apparemment continu, mais sa texture et les vestiges de volutes et de feuilles d'acanthes servent à en articuler les différentes parties.

Le porche à fronton de Saint-Georges, construit par Nicolas Hawksmoor à Bloomsbury (29), et la forme allongée de son plan (30) supposent un axe dominant Nord-

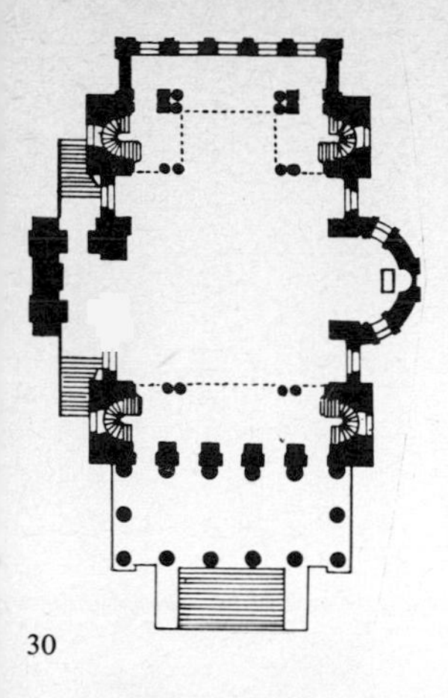
30

33

34

35

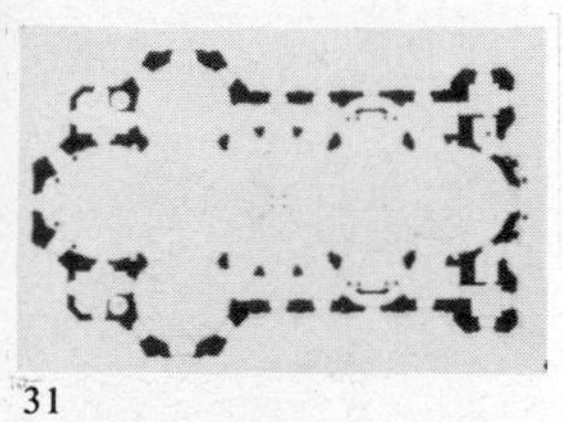
31

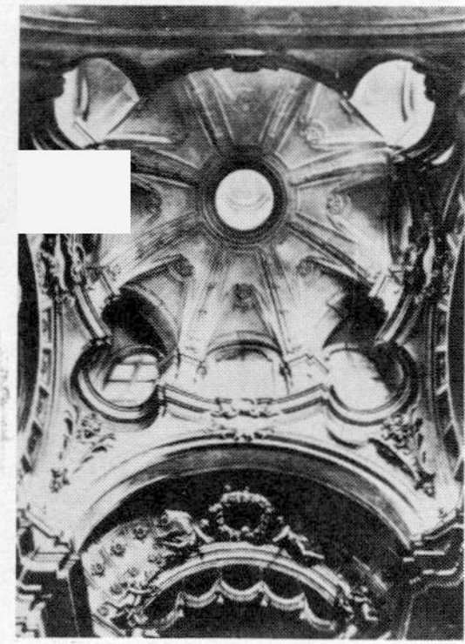
32

36

37

Sud. L'entrée et la tour à l'Ouest, la configuration intérieure des balcons, et l'abside à l'Est (abside qui contenait l'autel), tout cela suggère tout aussi bien un axe principal Est-Ouest. Par des éléments qui se contredisent et des dispositions inhabituelles cette église exprime à la fois les contrastes entre l'arrière, le devant et les côtés du plan en forme de croix latine et les deux axes orientés du plan en forme de croix grecque. De ces contradictions qui sont dues à des conditions particulières de site et d'orientation découlent une richesse et une tension qui manquent dans maintes compositions plus pures.

La basilique à coupole de Vierzehnheiligen (31) a un autel central placé sous une coupole principale de la nef. Nikolaus Pevsner a nettement dégagé le contraste qui existe entre la série des coupoles qui sont déformées et en surimpression par rapport au plan en croix latine, dont la construction comporte conventionnellement une unique coupole à la croisée du transept. C'est une église au plan en croix latine et en même temps une église à plan central à cause de la position inhabituelle de l'autel et de la coupole centrale. Dans d'autres églises baroques tardives on trouve une superposition du carré et du cercle. Dans la nef de S. Maria di Piazza à Turin (32) les éléments de Bernardo Vittone — éléments ambigus : soit pendentifs, soit trompes — supportent ce qui est à la fois une coupole et une lanterne carrée. Hawksmoor juxtapose sur le plafond de certaines de ses églises des moulures selon des motifs rectangulaires et elliptiques. Elles créent l'impression contradictoire d'églises à plan à la fois central et unidirectionnel. Dans certaines pièces du Palais de la Propaganda Fide (33) des arcs enjambant les coins permettent de rendre l'espace rectangulaire en bas et continu en haut. Ce qui est semblable à la configuration du plafond de Wren à St Stephen Walbrook (34).

Sir John Soane se glorifie des plafonds de ses salles d'audience (35) dont l'espace et la structure tiennent à la fois du rectangle et de la courbe, à la fois de la coupole et de la voûte. Ses méthodes comprennent des combinaisons complexes de formes et de structures archaïques ressemblant à des trompes et des pendentifs, à des oculis et à des pénétrations de voûtes. Dans son Musée (36) Soane emploie un élément archaïque dans une optique différente : la séparation par des arches suspendues, superflues du point de vue de la structure mais importantes du point de vue de l'espace, dessine des pièces simultanément ouvertes et fermées.

Sur la façade de la cathédrale de Murcie (37) on a employé ce qu'on a appellé une inflexion pour donner une impression de grandeur malgré la petitesse. Les frontons brisés qui surmontent les pylônes, sont dirigés l'un vers l'autre pour suggérer un énorme portail proportionné à l'espace de la « plazza » qu'il domine et à ce qu'il symbolise pour toute la région. L'ordonnance des pylônes en deux ordres

38

39

40

superposés correspond à l'échelle du bâtiment et de son cadre. La grandeur et la petitesse s'expriment simultanément par l'exagération de la largeur et de l'avancée d'un parvis du plus pur style Shingle. Les dimensions de la contremarche et du giron ne changent pas, bien sûr, mais l'élargissement du tracé à la base répond au spacieux vestibule du bas, tandis que le tracé plus étroit du sommet répond à la salle du haut, plus exigüe.

Une construction faite d'éléments de béton préfabriqués peut être continue mais fragmentaire; elle peut avoir un profil ininterrompu mais des joints apparents. Le tracé de ses colonnes et de ses poutres peut marquer la continuité de la structure, tandis que le dessin de ses joints creux rappelle que la construction a été exécutée par fragments juxtaposés.

La tour de Christ Church, à Spitalfields (38) est une manifestation de « à la fois » à l'échelle de la ville. La tour de Hawksmoor est à la fois un mur et une tour. Vers le bas la perspective est interrompue par le prolongement des murs en une sorte de contreforts (39) perpendiculaires à la rue d'accès. On ne peut les voir que d'une seule direction. Le haut de la tour est une flèche que l'on voit de partout et qui domine spatialement et symboliquement le quartier. Les dimensions de l'Hôtel-de-Ville de Bruges (40) correspondent à la place attenante, tandis que les dimensions violemment disproportionnées de la tour correspondent à la ville tout entière. C'est pour des raisons semblables que le grand sigle de la Philadelphia Savings Fund Society est posé sur le toit du bâtiment, et pourtant il est invisible d'en-bas (41). L'Arc de Triomphe aussi a des fonctions contradictoires. Vu en diagonale des avenues disposées en étoile, autres que les Champs-Elysées, c'est une sculpture marquant l'extrémité de ces avenues. Vu perpendiculairement de l'avenue des Champs-Elysées, c'est spatialement et symboliquement en même temps une extrémité et une porte. Plus loin je ferai l'analyse de quelques contradictions voulues entre les façades avant et arrière. Mais je mentionnerai ici la Karlskirche à Vienne (42) dont l'extérieur présente à la fois des éléments de basilique sur la façade et des éléments d'église à plan central dans le corps du bâtiment. Le programme intérieur exigeait une forme convexe pour le fond de l'église; le décor urbain exigeait des dimensions plus vastes et une façade droite. Le manque d'unité qui existe du point de vue du bâtiment lui-même n'est plus fondé quand on considère le bâtiment à l'échelle de l'espace qui l'entoure.

La double signification inhérente au phénomène du « à la fois » peut provoquer des métamorphoses aussi bien que des contradictions. J'ai décrit comment la flèche non-orientée de la tour de Christ Church à Spitalfields, se continue à sa base par un parvis orienté, mais on peut en quelque sorte en changer la signification, en se plaçant plutôt sur le plan de la sensation que sur le plan de la forme. Dans des relations

41

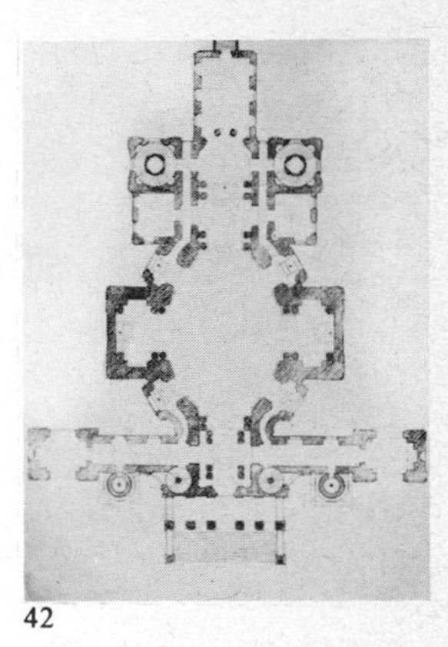
42

équivoques une des significations domine habituellement l'autre, mais dans des compositions complexes les rapports ne sont pas toujours constants. Ceci est particulièrement vrai quand l'observateur traverse un bâtiment ou en fait le tour, par conséquent quand il traverse une ville : à un moment on peut percevoir une signification comme dominante; à un autre moment une signification différente semblera prééminente. Dans Saint-Georges à Bloomsbury (30) par exemple, les axes qui s'opposent à l'intérieur deviennent alternativement dominants ou dominés pour l'observateur qui se déplace, si bien que le même espace change de signification. Il y a là une autre dimension de « l'espace, du temps et de l'architecture » (*) qui suppose le point de vue multiple.

5. *Niveaux contradictoires (suite) : L'élément à double fonction*

L'élément à double fonction [27] et le phénomène du « à la fois » sont apparentés, mais doivent être distingués : l'élément à double fonction appartient plus à des particularités d'usage et de structure, alors que le « à la fois » se rapporte plutôt aux liens qui unissent la partie au tout. Dans le phénomène du « à la fois » les doubles significations sont privilégiées par rapport aux « doubles fonctions ». Mais avant de parler de l'élément à double fonction, disons un mot du bâtiment à fonctions multiples. Par ce terme je désigne le bâtiment complexe dans sa forme et son programme, mais formant irréfutablement un tout : l'unité complexe du couvent de la Tourette de Le Corbusier ou de son Palais de Justice à Chandigarh par opposition au caractère multiple et aux articulations de son projet pour le Palais des Soviets, ou de l'immeuble de l'Armée du Salut à Paris. Dans la seconde

(*) Allusion au célèbre ouvrage de S. Giedion (édition française : La Connaissance, Bruxelles 1968, diff. Weber) – N.d.t.

manière les fonctions sont réparties entre des ailes solidaires ou des pavillons reliés les uns aux autres. Cette manière est devenue un principe caractéristique de l'architecture moderne orthodoxe. Les séparations tranchées des pavillons, dans le projet de Mies pour l'Illinois Institute of Technology, peuvent être considérées comme un développement extrême de ce principe.

Le Seagram Building de Mies et Johnson exclut toutes autres fonctions que des fonctions de bureau (sauf au rez-de-chaussée, sur l'arrière) et camoufle, en utilisant le même principe de façade, le fait qu'au sommet il y a un volume différent des bureaux et destiné à l'équipement technique. Le projet de Yamasaki pour le World Trade Center de New York simplifie encore plus et jusqu'à l'exagération la forme d'un bâtiment extrêmement complexe. Le gratte-ciel typique des années vingt, plutôt que de camoufler les équipements techniques implantés sur son toit, les met en évidence par une architecture ornementale. Comme les étages inférieurs du Lever House ont une fonction différente du reste de l'immeuble, ils en sont séparés par un énorme joint creux. Au contraire un bâtiment Modern style de qualité exceptionnelle, le P.S.F.S. (41) exprime d'une manière positive la variété et la complexité de son programme. Il comprend un magasin au premier niveau, une grande banque au second, des bureaux au-dessus, et au sommet des pièces pour les équipements techniques. Cette diversité de fonction et d'échelle (y compris l'énorme sigle publicitaire du sommet) forme cependant un tout sans faille. La façade arrondie, qui s'oppose à la rectangularité du reste du bâtiment, n'est pas seulement un cliché des années trente car elle joue un rôle urbanistique. Au niveau du sol qui est celui des piétons, elle aide l'espace à contourner le coin de la rue.

Le bâtiment à fonctions multiples poussé à l'extrême, c'est le Ponte Vecchio, Chenonceaux ou les projets futuristes de Sant'Elia. Chacun comporte, à l'intérieur d'un tout, des contrastes entre les niveaux de mouvement en même temps que des fonctions complexes. Le projet d'Alger de Le Corbusier, qui est un immeuble d'habitation et une grande route, et les derniers projets de Wright pour Pittsburgh Point et Baghdad, correspondent à l'architecture de viaduc de Kahn et à la « collective form » de Fumihiko Maki. Tous possèdent des hiérarchies complexes et contradictoires de dimensions et de mouvement, de structure, et d'espace à l'intérieur d'un tout. Ces bâtiments sont à la fois des ponts et des immeubles. A une plus grande échelle : un barrage est aussi un pont, la boucle du « loop » à Chicago est une frontière aussi bien qu'une voie de circulation, et la rue de Kahn « veut être un immeuble ».

La pièce à fonctions multiples se justifie aussi bien que l'immeuble à fonctions multiples. Une pièce peut avoir plusieurs fonctions simultanément ou à des moments différents.

Kahn préfère la galerie parce qu'elle est orientée et non-orientée, à la fois couloir et pièce. Et il distingue les diverses complexités des fonctions particulières en classant et hiérarchisant les pièces d'une manière générale selon la taille et la qualité, les appelant espaces mineurs et majeurs, orientés et non-orientés, et les désignant encore par d'autres noms plus génériques que particuliers. Comme dans son projet pour le Trenton Community Center, ces espaces finissent par ressembler, en un peu plus compliqué, à la configuration des pièces en enfilade du début du dix-huitième siècle. L'idée de couloirs et de pièces ayant chacun, pour plus de commodité, une fonction unique est née au dix-huitième siècle. La séparation caractéristique de l'architecture moderne et la spécialisation des fonctions du programme, par un ameublement incorporé au cours même de la construction, ne sont-elles par une manifestation extrême de cette idée? Kahn met implicitement en question une spécialisation aussi rigide et un fonctionnalisme aussi limité. Dans ce contexte « la forme appelle la fonction ».

La pièce à fonctions multiples est probablement la meilleure réponse au souci de flexibilité des architectes modernes. La pièce destinée à une utilisation plus générale que particulière, avec un ameublement mobile de préférence à des cloisons mobiles, laisse une impression de souplesse tout en permettant la rigidité et l'uniformité encore nécessaire dans les immeubles d'aujourd'hui. D'une ambiguïté valable découle une utile souplesse.

L'élément à double fonction a rarement été utilisé en architecture moderne. Au contraire, l'architecture moderne a encouragé la séparation et la spécialisation dans tous les domaines : dans les matériaux et la structure aussi bien que dans le programme et l'utilisation de l'espace. « La nature des matériaux » a empêché de donner plusieurs fonctions à une matière ou, inversement, la même forme ou la même surface à des matériaux différents. Wright raconte dans son autobiographie qu'il commença à se séparer de son maître à cause de l'utilisation indifférenciée que faisait Louis Sullivan de ses motifs ornementaux caractéristiques, les appliquant indifféremment à la terre cuite, au métal, au bois ou à la brique. Pour Wright, « des motifs qui conviennent bien à un matériau ne conviendront pas à un autre matériau » [28]. Pourtant la façade du pavillon des étudiants de Eero Saarinen, à l'Université de Pennsylvanie, comprend, dans ses matériaux et sa structure, une rampe couverte de vigne vierge, un mur de brique et une grille en acier; mais sa forme incurvée est continue. Saarinen s'est libéré de l'idée fixe si répandue qui interdit d'utiliser des matériaux différents sur la même surface ou le même matériau pour deux objets différents. Dans le tableau de Robert Rauschenberg : « Pilgrim » (Le Pélerin) (43), la peinture se prolonge de la toile sur la chaise bien réelle qui est posée devant, rendant ainsi ambiguë la distinction entre

43

44

l'œuvre peinte et les meubles, et, à un autre niveau, la place de l'art dans une pièce. Une contradiction entre les niveaux de fonction et de signification est sensible dans ces œuvres, et l'environnement y gagne une certaine tension.

Mais pour le puriste de la construction aussi bien que pour le fonctionnaliste une forme de construction à double fonction serait exécrable à cause de la relation non définie et ambiguë entre la forme et la fonction, la forme et la structure. Ainsi, dans la villa Katsura (44), la tige de bambou tendue et le poteau de bois comprimé ont la même forme. Un architecte moderne, je crois, les trouverait tous deux sinistrement identiques en taille et en section en dépit du goût très répandu pour le design traditionnel japonais. Le pilastre de la Renaissance (aussi bien que d'autres éléments porteurs utilisés à des fins non constructives) peut comprendre le phénomène du « à la fois » à différents niveaux. Il peut être à la fois effectivement porteur ou non, symboliquement porteur par association d'idées, et, dans la composition, il peut jouer un rôle ornemental en contribuant au rythme et à la complexité des dimensions de l'ordre monumental.

L'architecture moderne, outre qu'elle spécialise les formes selon les matériaux et la structure, sépare et articule les éléments. L'architecture moderne n'est jamais implicite. En privilégiant la trame et le mur rideau, elle a ôté à l'ossature son rôle de protection. Même les murs du Wax Building de Johnson enferment mais ne portent pas. Et, dans les détails, l'architecture moderne tend à exalter les séparations. Même les assemblages à joints vifs sont articulés, et les joints creux prédominent. L'élément universel qui a plusieurs fonctions simultanées est également rare dans l'architecture moderne. Il est significatif qu'on préfère la colonne au trumeau. Dans la nef de Santa Maria in Cosmedin (45) l'emploi de la colonne est dicté par sa fonction dominante et bien précise de point d'appui. Elle ne peut ordonner l'espace qu'incidemment en relation avec d'autres colonnes ou éléments. Mais dans la même nef les piliers massifs qui alternent avec les colonnes ont intrinsèquement une fonction double. Ils délimitent et ordonnent l'espace autant qu'ils portent le bâtiment. Les piliers de la chapelle baroque de Fresnes (46), résiduels par leur forme et surabondants pour la structure du bâtiment, sont des exemples extrêmes d'éléments à double fonction : ils ont à la fois une fonction portante et spatiale.

Les éléments à double fonction de Le Corbusier et de Kahn sont des événements rares dans notre architecture. Les brise-soleil de l'Unité d'Habitation de Marseille sont des éléments porteurs et des portiques aussi bien que des pare-soleil (sont-ce des pans de mur, des piliers ou des colonnes?). Les groupes de colonnes de Kahn et ses piliers creux sont des espaces « abris » pour les équipements mais peuvent aussi bien jouer avec la lumière du jour comme les rythmes complexes des colonnes et des pilastres dans l'architecture

45

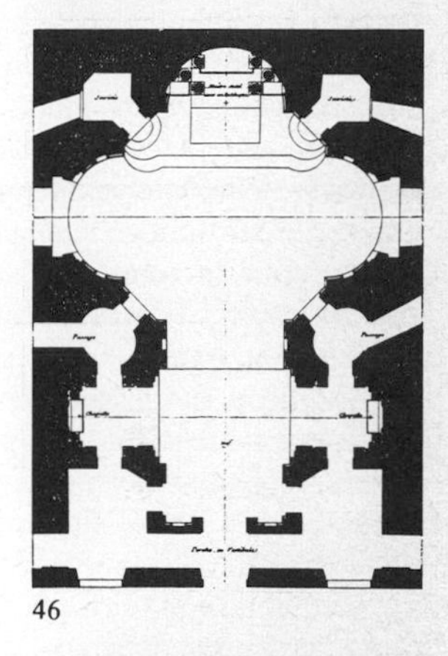

46

47

baroque. Comme les poutres ajourées du Richards Medical Center (47), ces éléments ne sont pas purement structuraux et n'ont pas l'élégante section minimum. Par contre ce sont des parties porteuses inséparables d'un ensemble spatial plus grand. Il est bon de percevoir la tension des formes qui ne sont pas uniquement porteuses, et une partie porteuse peut avoir un rôle spatial qui ne soit pas seulement accidentel (à noter cependant que dans ce bâtiment les colonnes et les tours contenant les escaliers sont séparées et articulées d'une manière orthodoxe).

Une construction à toit plat est faite de dalles de béton d'une épaisseur constante avec une armature variable, et les poteaux sont placés irrégulièrement sans poutres ni chapiteaux. Pour maintenir une épaisseur constante, le nombre de barres de l'armature change pour répondre aux charges de construction les plus concentrées, dans la section constante et sans poutres. Ceci assure, notamment dans les immeubles d'habitation, une hauteur sous plafond constante pour les appartements du dessous, ce qui facilite les distributions. Les toits plats sont impurs du point de vue de la construction : leur section n'est pas minimum. Il y a un compromis entre les exigences des forces structurales et les exigences de l'espace architectural. Ici la forme découle de la fonction d'une manière contradictoire : la matière obéit à la fonction structurale; la section obéit à la fonction spatiale.

Dans certains bâtiments en maçonnerie, maniéristes et baroques, le pilier, le pilastre et l'arc de décharge forment une façade presque uniforme, et la structure qui en résulte, comme celle du Palazzo Valmarana (48), porte à la fois les murs et la charpente. D'une manière semblable les arcs de décharge du Panthéon (49) qui n'étaient pas volontairement apparents à l'origine, donnent naissance à un mur dont la structure a une double fonction. A ce point de vue la basilique romane, la Sagrada Familia de Gaudi (50) et Il Redentore de Palladio (51) sont totalement différents de la cathédrale gothique (52). Au contraire de l'arc-boutant isolé, la contrevoûte romane porte autant que les contreforts et la subtile invention de Gaudi, les piliers inclinés, portent le poids de la voûte pendant que les contreforts équilibrent la poussée, le tout groupé en une forme continue. Les contreforts de Palladio sont aussi des frontons brisés sur la façade. A S. Chiara d'Assise, un arc-boutant forme un porche au-dessus de la place en même temps qu'un support pour le bâtiment.

L'élément à double fonction peut être un détail. Les bâtiments maniéristes et baroques abondent en larmiers qui deviennent des sablières, en fenêtres qui deviennent des niches, en décors de corniche qui sont en harmonie avec les fenêtres, en chaînages d'angles qui sont aussi des pilastres et en architraves qui se transforment en arcs (53). Les pilastres des niches de Michel-Ange dans l'entrée de la Bibliothèque Laurentienne (54) ressemblent à des corbeaux. Les moulures

48

49

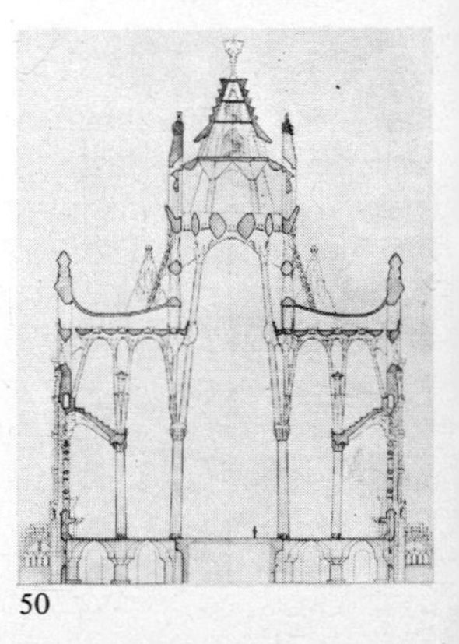

50

51

52

53

54

55

56

57

de Borromini sur les façades arrière de la Propaganda Fide (55) sont à la fois des cadres de fenêtre et des frontons. Les cheminées de Lutyens à Grey Walls (56) sont aussi des bornes sculpturales qui marquent l'entrée, un lambris à Gledstone Hall (57) n'est que le prolongement d'une contremarche dans la même pièce et le palier de l'escalier de Nashdom est aussi une pièce.

La structure sphérique, dessinée par Siegfried Giedion, *« convient »* à tous les niveaux. Structurellement comme visuellement, elle est à la fois une armature séparée et un revêtement jouant en même temps les rôles d'ossature et de couverture. Si l'on considère qu'elle est faite d'éléments de 2 sur 4 c'est une ossature; dans la mesure où les éléments de 2 sur 4 sont petits, collés les uns aux autres, liés et tissés sur une grille de rails en diagonale, cela devient un revêtement. Ces caractéristiques compliquées sont mises en évidence à l'occasion des percements et à la périphérie. La structure sphérique est aussi un élément d'architecture qui est plusieurs choses à la fois. Elle témoigne d'une méthode située entre les deux extrêmes et qui a évolué jusqu'à posséder les caractéristiques de chacune des deux.

Les éléments conventionnels en architecture représentent une étape dans l'évolution, et le changement d'utilisation et d'expression fait qu'ils possèdent autant l'ancienne signification que la nouvelle. Ce qu'on peut appeler un élément archaïque ressemble à l'élément à double fonction. Il se distingue de l'élément superflu en ce qu'il possède une double signification. C'est le résultat de l'association plus ou moins ambiguë entre l'ancienne signification, auquelle elle est associée par le souvenir, et une nouvelle signification issue d'une nouvelle fonction ou d'une fonction modifiée, faisant partie de la structure ou du programme, et d'un nouveau contexte. L'élément archaïque n'encourage pas la clarté de la signification; au contraire il accentue la richesse des significations. C'est un élément fondamental dans le changement et la croissance de la ville et il se manifeste à l'occasion du remodelage qui livre d'anciens bâtiments à des utilisations nouvelles, tant sur le plan du programme que du symbole (comme des palais qui deviennent des musées ou des Ambassades), et l'ancien entrelacs des rues à de nouveaux usages et à des changements d'échelle dans les déplacements. Les chemins de garde sur les murs des villes fortifiées de l'Europe du Moyen Age sont devenus des boulevards au dix-neuvième siècle; une partie de Broadway est une place publique et un symbole au lieu d'une artère où se pavanait la haute société New-Yorkaise. Pourtant le fantôme de Dock Street à Society Hill de Philadelphie est un vestige sans signification plutôt qu'un élément de force résultant d'une transition valable entre l'ancien et le nouveau. Je parlerai plus tard de l'élément archaïque tel qu'il apparaît dans l'architecture de Michel-Ange et dans ce qu'on pourrait appeler l'architecture Pop.

L'élément emphatique comme l'élément à double fonction sont rares dans l'architecture récente. Si celui-ci est choquant par son ambiguïté inhérente, celui-là scandalise le culte du minimum des architectes modernes orthodoxes. Mais l'élément emphatique se justifie en tant que moyen d'expression solide bien que démodé. Un élément peut sembler emphatique d'un certain point de vue, mais s'il est solide, à un autre niveau il enrichira la signification en l'accentuant. Dans le projet de Ledoux pour une porte monumentale à Bourneville (58), les colonnes dans l'arche sont emphatiques, du point de vue de la construction, sinon surabondantes. Pourtant elles accentuent le caractère abstrait de l'ouverture (« c'est une ouverture semi-circulaire bien plus qu'une arche ») et en outre elles délimitent cette ouverture et en font une porte. Comme je l'ai dit plus haut, l'escalier de l'Académie des Beaux Arts de Pennsylvanie, dessiné par Furness, est trop grand dans son contexte immédiat, mais c'est un geste en harmonie avec l'échelle extérieure et un signe de l'entrée. Le portique classique est une entrée emphatique. L'escalier, les colonnes, le fronton viennent se superposer à l'entrée réelle, à une autre échelle et en avant d'elle. L'entrée de Paul Rudolph pour l'« Arts and Architecture Building » de Yale est à l'échelle de la ville; pour la plupart, les gens utilisent la petite porte latérale donnant sur la cage d'escalier.

Une grande part de la fonction de décoration est emphatique, comme l'emploi des pilastres baroques pour le rythme, et les pilastres non-engagés que place Vanbrugh à l'entrée des cuisines à Blenheim (59), pilastres qui sont d'une architecture fanfaronne. L'élément emphatique qui sert aussi à la structure est rare en architecture moderne, bien que Mies ait utilisé surabondamment la poutre en I avec une maîtrise qui rendrait le Bernin jaloux.

58

59

6. *L'intégration et les limites de l'ordre : L'élément conventionnel*

« ... Bref, qu'il faut accepter les contradictions ». (*)

Un ordre valable est capable de s'adapter aux contradictions accidentelles d'une réalité complexe. Il s'adapte autant qu'il impose. Ainsi il admet « contrôle *et* spontanéité », « correction *et* confort » – l'improvisation à l'intérieur du tout. Il tolère des modifications et des compromis. Il n'y a pas de lois immuables en architecture, mais on ne pourra pas utiliser n'importe quoi pour un bâtiment ou une ville. L'architecte doit décider, et ces subtiles évaluations sont parmi ses principales fonctions. C'est lui qui doit déterminer ce qui est indispensable et ce qui est susceptible d'un compromis, ce qui rendra, et où, et comment. Il n'ignore ni n'exclut les contradictions du programme et de la structure à l'intérieur même de cet ordre.

J'ai insisté jusqu'ici sur les complexités et les contradictions qui proviennent plus du milieu que du programme même du bâtiment. Maintenant je vais souligner les complexités et contradictions qui découlent du programme et reflètent les complexités et les contradictions inhérentes à la vie. Il est évident que dans la pratique même toutes deux sont liées. Les contradictions peuvent naître d'un désaccord exceptionnel qui modifie l'ordre ordinairement harmonieux ou bien elles peuvent naître de désaccords inhérents à cet ordre même. Dans le premier cas la relation entre désaccord et ordre intègre à cet ordre des exceptions dues aux circonstances, ou bien elle ajuste des éléments particuliers de l'ordre à des éléments généraux. Vous instaurez un ordre et puis vous en transgressez les règles, mais les transgressez volontairement plutôt que par faiblesse. J'ai appelé cette contradiction, « contradiction intégrée ». Je considère la situation de désaccord à l'intérieur de l'ensemble comme une manifestation de cette « difficile unité » dont je parle dans le dernier chapitre.

Mies parle de la nécessité « de créer un ordre à partir de l'extrême confusion de notre époque ». Mais Kahn a dit : « par ordonné, je ne veux pas dire discipliné ». Ne devons-nous pas résister à ceux qui déplorent la confusion? Ne devons-nous pas chercher des significations au sein des complexités et des contradictions de notre époque et recon-

(*) David Jones, *Epoch and Artist,* Chilmark Press, (New-York, 1959).

naître les limites des systèmes? Voici, me semble-t-il, les deux justifications qui permettent de briser l'ordre : la reconnaissance de la variété et de la confusion à l'intérieur et à l'extérieur, dans le programme et l'environnement, et, en fait, à tous les niveaux de l'expérience; et le caractère fondamentalement limité de tous les ordres créés par l'homme. Quand les circonstances défient l'ordre, celui-ci doit plier ou rompre : les anomalies et les incertitudes font la force de l'architecture.

60

On peut donner une plus grande intensité à une signification en transgressant les règles : l'exception confirme la règle. Un bâtiment sans rien d'imparfait peut n'avoir rien de parfait, parce que c'est le contraste qui est le support de la signification. Une discordance réalisée avec art donne sa vitalité à l'architecture. On peut à tout instant tenir compte des contingences mais elles ne peuvent pas devenir la règle. Si l'ordre qui rejette l'opportunisme engendre le formalisme, l'opportunisme qui rejette l'ordre signifie bien sûr le chaos. Il faut que l'ordre existe avant qu'on puisse le briser. Aucun artiste ne peut réduire le rôle de l'ordre à une manière de saisir un ensemble dans ses rapports avec ses propres caractéristiques et son propre contexte. « Il n'y a pas d'œuvre d'art sans système » est une maxime de Le Corbusier.

Effectivement, une propension à briser l'ordre peut justifier qu'on l'exagère. Un formalisme solide, ou une sorte d'architecture sur le papier compense les distorsions, les expédients et les exceptions des parties accessoires de la composition, ou les violentes surimpressions de contradictions juxtaposées. Dans l'architecture récente Le Corbusier adapte, dans la Villa Savoie par exemple, les désaccords annexes et exceptionnels à un ordre dominant et rigide. Mais Aalto, contrairement à Le Corbusier, semble presque créer l'ordre à partir des discordances, comme on peut le voir au centre culturel de Wolfsburg. Un exemple historique aidera peut-être à illustrer le rapport qui lie ordre et exception : les arcs et les pilastres appliqués sur la façade du Palazzo Tarugi (60) s'opposent à la soudaine accumulation de fenêtres « capricieuses » et d'espaces vides asymétriques. L'ordre exagéré, d'où découle une unité exagérée, accompagné de certaines dimensions caractéristiques, fait la force majestueuse du palais italien et de certaines œuvres de Le Corbusier. Cependant le secret de leur genre de majesté — celle qui n'est ni rigide ni pompeuse — tient à des oppositions dues aux circonstances spécifiques de chaque composition. Bien que l'ordre d'Aalto ne soit pas si facile à saisir au premier coup d'œil, il implique des relations semblables entre l'ordre et les circonstances.

Dans le génie civil, c'est le pont (61) qui exprime avec acuité le jeu d'un ordre exagérément pur contre les discordances de l'environnement. L'ordre absolu et géométrique de la partie haute de la structure dicté par son unique et simple fonction : permettre aux véhicules de traverser sur une surface plane, offre un violent contraste avec les ajustements exceptionnels de la partie inférieure; là au moyen de déformations — le système commode de piles plus ou moins longues — l'ordre adapte le pont au terrain inégal de la vallée.

C'est également un jeu entre l'ordre et le compromis qui est à la base, dans le bâtiment, de l'idée de rénovation, et en urbanisme de l'idée d'évolution. Effectivement, changer le programme de bâtiments existants est un phénomène valable et une des sources majeures de la contradiction que je prône. Plusieurs compositions dans lesquelles on reconnaît des exceptions dues aux circonstances, comme le Palazzo Tarugi, proviennent de rénovations qui conservent une unité à l'ensemble. Une grande part de la richesse que la ville italienne offre à la vue des passants découle de la tradition qui veut qu'après plusieurs générations on modifie et on modernise les locaux commerciaux du rez-de-chaussée : par exemple les bars modernes à l'élégance discrète situés dans le cadre des anciens palais. Mais l'ordre originel du bâtiment doit être solide. Une bonne dose de pagaille n'a pas réussi à détruire l'espace de Grand Central Station, mais l'introduction d'un seul élément étranger peut détruire tout l'effet de certains de nos bâtiments modernes. Nos bâtiments doivent pouvoir survivre à l'introduction du distributeur automatique de cigarettes.

J'ai parlé d'un certain niveau d'ordre en architecture : cet ordre particulier qui se rapporte à un bâtiment précis et dont il fait partie. Mais il existe des conventions en architecture, et ces conventions peuvent être l'expression d'un autre ordre exagérément sévère et dont la portée est plus générale. Un architecte devrait utiliser les conventions et les rendre vivantes. Je veux dire qu'il devrait utiliser les conventions d'une manière non-conventionnelle. Par convention j'entends à la fois les éléments et les méthodes de construction. Sont conventionnels les éléments de fabrication, de forme et d'utilisation courantes. Je ne parle pas des produits sophistiqués de la création industrielle, qui sont en général très beaux, mais de l'énorme amas de produits de série, aux créateurs anonymes, liés à l'architecture et au bâtiment; et je pense aussi à ces objets commerciaux et ostentatoires qui sont franchement banals ou vulgaires en eux-mêmes et qui sont rarement associés à l'architecture.

La justification essentielle de l'emploi d'objets de pacotille dans un ordre architectural est leur existence même. Ils sont ce que nous avons, le matériau dont nous disposons. Les architectes peuvent se lamenter, essayer de les ignorer ou même de les abolir, mais ils ne disparaîtront pas. Ou bien ils ne disparaîtront pas avant longtemps, parce que les architectes n'ont pas le pouvoir de les remplacer (et ils ne savent pas non plus par quoi les remplacer), et parce que ces éléments banals répondent à des besoins actuels de variété et de communication. Les vieux clichés impliquant à la fois la banalité et le fouillis seront encore le contexte de notre nouvelle architecture, et il est significatif que notre nouvelle architecture sera leur contexte à eux. Je pars d'un point de vue étroit, je l'admets, mais le point de vue étroit, que les architectes ont tendance à sous-estimer, est aussi important que le point de vue du visionnaire qu'ils ont tendance à glorifier mais qu'ils n'ont pas réalisé. Le plan à court terme, qui combine utilement l'ancien et le nouveau, doit accompagner le plan à long terme. L'architecture est réformiste autant que révolutionnaire. En tant qu'art elle doit reconnaître ce qui est, et ce qui devrait être, l'immédiat et l'utopique.

Les historiens ont montré que les architectes du milieu du dix-neuvième siècle avaient tendance à ignorer ou à rejeter les progrès de la technique, qui avaient trait à la structure ou aux méthodes, sous prétexte qu'ils ne concernaient pas l'architecture et en étaient indignes; ils les remplacèrent tour à tour par la Renaissance gothique, la Renaissance académique ou le Handicraft Movement. Pouvons-nous aujourd'hui nous targuer de techniques de pointe tout en excluant les éléments immédiats, et vitaux même s'ils sont vulgaires, qui sont l'ordinaire de notre architecture et de notre paysage? Un architecte devrait accepter les méthodes et les éléments qui sont déjà à sa disposition. Souvent il échoue quand il tente par lui-même de trouver des formes qu'il espère nouvelles, et des techniques qu'il espère d'avant-garde. Les innovations techniques exigent des investissements de temps, d'ingéniosité et d'argent qui sont hors de la portée de l'architecte, du moins dans une société comme la nôtre. Pour les architectes du dix-neuvième siècle l'ennui n'était pas tant qu'ils laissaient les ingénieurs innover, mais qu'ils ignoraient la révolution technique qu'accomplissaient les autres. Les architectes d'aujourd'hui dans leur besoin chimérique d'inventer de nouvelles techniques, ont négligé cette obligation : être un expert des conventions en cours. La responsabilité de l'architecte est, bien sûr, de savoir comment construire, tout autant que quoi construire, mais son rôle d'inventeur est d'abord de savoir quoi construire; son expérience doit servir plus à l'organisation de l'ensemble qu'à des techniques de détail. L'architecte choisit tout autant qu'il crée.

Voilà les raisons pratiques qui imposent l'utilisation du conventionnel en architecture, mais il y a aussi des justifications sur le plan de l'expression. Le principal travail de l'architecte consiste à organiser un ensemble unique à partir d'éléments conventionnels et en introduisant judicieusement des éléments nouveaux quand les anciens sont impropres. La « Gestaltpsychologie » affirme que le contexte contribue à la signification d'une partie et qu'un changement dans ce contexte provoque un changement de signification. Ainsi l'architecte, en combinant des parties, crée-t-il *un* contexte qui confère leur signification à ces parties à l'intérieur de l'ensemble. S'il utilise la convention d'une manière non-conventionnelle, s'il dispose des objets communs d'une manière non-commune, il change leur contexte et il peut même utiliser un cliché pour obtenir un nouvel effet. Des objets familiers placés dans un contexte non-familier sont perçus comme des objets nouveaux aussi bien qu'anciens.

Les architectes modernes n'ont exploité l'élément conventionnel que dans d'étroites limites. S'ils ne l'ont pas totalement rejeté comme démodé ou banal, ils l'ont adopté comme symbole de l'ordre industriel et progressiste. Mais ils ont rarement utilisé l'élément banal dans un contexte unique d'une manière originale. Wright par exemple emploie presque toujours des éléments et des formes uniques qui représentent une approche personnelle et nouvelle de l'architecture. Les éléments mineurs, comme la quincaillerie de Schlage ou la tuyauterie de Kohler que Wright lui-même ne pouvait éviter d'employer, sont conçus comme des compromis malencontreux à l'intérieur de l'ordre particulier de ses bâtiments, ordre par ailleurs parfaitement logique.

Dans ses premières œuvres, Gropius employait un vocabulaire de formes et d'éléments découlant logiquement d'un monde industriel. Il reconnaissait ainsi la production en série et fondait son esthétique machiniste. Par exemple il a trouvé l'idée de ses fenêtres et de ses escaliers dans l'architecture courante des usines, et ses bâtiments ressemblent à des usines. Mies emploie aujourd'hui les éléments de construction de l'architecture industrielle spécifiquement américaine et aussi, avec une ironie inconsciente, les éléments d'Albert Kahn : les élégants éléments d'ossature sont des produits sidérurgiques standard. Ils semblent être une structure apparente mais sont en fait une décoration plaquée sur une charpente ignifugée; et ils composent des espaces complexes et clos au lieu des simples espaces industriels pour lesquels ils ont été conçus à l'origine.

C'est Le Corbusier qui mit une intention ironique à juxtaposer les formes sophistiquées de son architecture avec des objets trouvés et des éléments banals comme la chaise Thonet, le fauteuil du fonctionnaire, des radiateurs en fonte et d'autres objets industriels. La statue de la Vierge du dix-neuvième siècle dans la niche du mur Est de la chapelle de Ronchamp est un vestige de l'ancienne église qui s'élevait à cet endroit. Outre sa valeur symbolique, c'est l'exemple d'une sculpture banale à laquelle son nouvel entourage confère une intensité particulière. Bernard Maybeck est le seul architecte de ces dernières années à employer des associations contradictoires d'éléments spécifiquement industriels et d'éléments de divers styles dans le même bâtiment (par exemple un châssis de fenêtre industrialisé et des entrelacs gothiques). Son cas excepté, l'utilisation non-conventionnelle de la convention est presque inconnue dans l'architecture récente.

Les poètes, d'après Eliot, emploient « cette perpétuelle

et légère altération du langage, des mots perpétuellement juxtaposés en des associations nouvelles et inattendues » [29]. Wordsworth écrit, dans sa préface aux Ballades Lyriques, qu'il faut choisir « des incidents et des situations de la vie quotidienne (de telle sorte que) les choses ordinaires se présentent à l'esprit sous un aspect inhabituel » [30]. Et Kenneth Burke fait allusion aux « horizons qu'ouvre l'incongruité » [31]. Cette technique qui semble fondamentale pour la poésie est utilisée aujourd'hui par un autre mode d'expression. Les peintres Pop donnent un sens inhabituel à des éléments communs en changeant leur contexte ou en augmentant leurs dimensions. En « s'engageant dans la relativité de la perception et dans la relativité de la signification » [32] on permet à de vieux clichés, placés dans de nouveaux décors, d'acquérir de riches significations qui sont, d'une manière ambiguë, à la fois anciennes et nouvelles, ternes et éclatantes.

La valeur de ces significations contradictoires a été reconnue et dans l'architecture réformiste et dans l'architecture révolutionnaire, depuis les collages de fragments de l'architecture post-romaine, architecture qu'on appelle Spolium dans laquelle, par exemple, le chapiteau est utilisé comme base de colonne, jusqu'au style Renaissance lui-même, dans lequel l'ancien vocabulaire de la Rome classique est employé en de nouvelles associations. Et James Ackerman a montré que Michel-Ange « adopte rarement (dans son architecture) un motif sans lui donner une forme nouvelle ou une signification nouvelle. Pourtant il conserve toujours les traits essentiels de ses anciens modèles, afin d'obliger l'observateur à se souvenir de la source pendant qu'il goûte les innovations ». [33]

La convention de l'ironie concerne à la fois le bâtiment isolé et le paysage urbain. Elle reconnaît la condition réelle de notre architecture et son statut dans notre culture. L'industrie finance de coûteuses recherches dans le domaine de l'industrie et de l'électronique mais non dans celui de l'architecture expérimentale, et le gouvernement fédéral préfère distribuer des subventions aux transports aériens, aux communications, et à l'énorme machine de guerre ou, comme ils l'appellent, à la « défense nationale », plutôt qu'aux forces permettant immédiatement une vie plus intense. L'architecte qui exerce sa profession doit admettre cela. En termes simples, les budgets, les techniques et les programmes de ses bâtiments ont certainement plus de rapport avec 1866 qu'avec 1966. Les architectes devraient accepter la modestie de leur rôle au lieu de la masquer et de risquer ce qu'on pourrait appeler l'expressionisme électronique, qu'on pourrait comparer à l'expressionisme industriel des débuts de l'architecture moderne. L'architecte qui accepterait son rôle de combiner de vieux clichés significatifs — des banalités originales — dans de nouveaux contextes, comme sa propre condition au sein d'une société qui oriente ailleurs ses meilleurs efforts, son bel argent, et ses techniques élégantes, pourrait exprimer ironiquement par ce biais la réelle préoccupation que lui cause l'échelle des valeurs inversée de la société.

J'ai fait allusion aux raisons pour lesquelles les éléments de pacotille de notre architecture et notre paysage urbain doivent demeurer, spécialement sur le plan d'une vision à court terme, et j'ai dit pourquoi on devrait accepter un tel destin. L'art Pop a démontré que ces éléments ordinaires sont souvent la source principale de la variété et de la vitalité qu'on rencontre au hasard de nos villes et que ce n'est pas leur banalité ou vulgarité propre qui est responsable de la banalité ou vulgarité de la scène entière, mais plutôt, dans le contexte, leurs relations au niveau de l'espace et des dimensions.

Une autre conséquence importante de l'art Pop concerne les méthodes de l'urbanisme. Les architectes et les urbanistes qui dénoncent avec hargne la vulgarité et la banalité du paysage urbain conventionnel proposent des méthodes élaborées destinées à abolir, ou à masquer, les éléments de pacotille des paysages actuels, ou à les exclure du lexique de leurs futures villes.

Mais, pour la plupart, ils ne parviennent ni à rehausser le paysage existant, ni à lui en substituer un autre parce qu'ils cherchent l'impossible. En visant trop haut ils affichent leur impuissance et risquent de perdre ce qui leur reste d'influence en tant que prétendus experts. L'architecte et l'urbaniste ne peuvent-ils pas, en retouchant légèrement les éléments conventionnels du paysage urbain existant ou proposé, provoquer d'importants effets? En modifiant ou en ajoutant des éléments conventionnels à d'autres éléments aussi conventionnels ils peuvent, en déformant le contexte, obtenir un maximum d'effet grâce à un minimum de moyens. Ils peuvent nous faire voir la même chose d'une manière différente.

En définitive, la production en série, comme la construction conventionnelle, peuvent être une autre manifestation de l'ordre rigide. Mais à l'inverse de la construction conventionnelle, la production en série a été acceptée par l'architecture moderne comme un produit enrichissant de notre technologie, bien qu'on redoute son pouvoir de domination et sa brutalité. Mais ne faut-il pas bien plus craindre une mauvaise

61

adaptation de la production en série aux circonstances et un emploi qui ne se serve pas du contexte de manière créatrice, plutôt que la production en série elle-même? Les idées d'ordre et de circonstances, de convention et de contexte, ou le fait d'employer les objets de série d'une manière non standard, s'appliquent à notre problème permanent : uniformité contre variété. Giedion a écrit qu'Aalto « combine l'uniformité de la production en série avec l'irrationalité de sorte que l'uniformité n'est plus maîtresse mais esclave » [34]. Je préfère concevoir l'art d'Aalto comme contradictoire plutôt qu'irrationnel — et penser qu'il sait, avec maîtrise, reconnaître les circonstances, le contexte et les limites inévitables de l'ordre de la production en série.

Corbu !

7. *La contradiction adaptée*

Les façades de deux villas napolitaines du dix-huitième siècle sont l'expression de deux types ou de deux manifestations de la contradiction. A la Villa Pignatelli (62) les moulures en s'incurvant vers le bas deviennent à la fois des bandeaux et des linteaux. A la Villa Palomba (63) la position des fenêtres, qui ne tient pas compte du rythme des baies en transperçant les panneaux extérieurs, répond aux besoins de la distribution intérieure. Les moulures de la première villa s'adaptent facilement à leur fonction contradictoire. Les fenêtres de la seconde se heurtent violemment à la disposition des panneaux et au rythme des pilastres : l'ordre intérieur et l'ordre extérieur entretiennent des relations absolument contradictoires.

La première façade est adaptée à la contradiction par un compromis et un ajustement de ses éléments, la seconde façade se juxtapose à la contradiction par l'emploi d'éléments contraires surimposés ou accolés les uns aux autres. La contradiction adaptée est résistante et souple. Elle admet l'improvisation. Elle implique la désintégration d'un prototype, et se résout par l'approximation et la modification. A l'inverse, la contradiction juxtaposée est rigide. Elle contient des contrastes violents et des oppositions irréductibles. La contradiction adaptée rend parfois l'ensemble impur. La contradiction juxtaposée résout parfois mal l'ensemble.

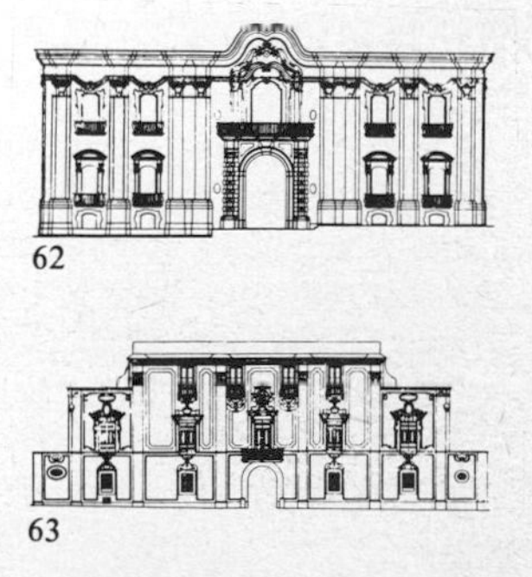
62

63

On trouve ces types de contradiction dans l'œuvre de Le Corbusier. Les contrastes qui apparaissent sur les plans de la Villa Savoie (5) et du Palais de l'Assemblée de Chandigarh (64) correspondent à ceux des façades de la Villa Pignatelli et de la Villa Palomba. Dans la Villa Savoie la position de certaines colonnes dans le système des baies rectangulaires a été légèrement rectifiée pour répondre à des exigences spatiales : une colonne est déplacée, une autre supprimée. Dans le Palais de l'Assemblée, bien que la trame des colonnes s'adapte aussi à la forme exceptionnellement souple de la salle de l'Assemblée, dans leur juxtaposition la salle elle-même et la trame ne s'ajustent pas : c'est une juxtaposition violente et irréductible non seulement en plan mais aussi en coupe, où l'on découvre que la salle a été violemment introduite dans la trame (65).

Kahn a dit : « la forme doit s'adapter aux circonstances ». Sur les plans des palais de Palladio, les rectangles intérieurs sont souvent déformés en des figures non rectangulaires afin de s'adapter au tracé des rues de Vicence : les tensions qui en résultent donnent aux bâtiments une vie qui n'apparaît pas dans leurs sosies théoriques illustrant le Quattro Libri. Au Palazzo Massimo (66) une déformation selon une ligne courbe plutôt que brisée adaptait la façade à la rue qui était également incurvée avant d'être rectifiée au dix-neuvième siècle. Dans le toit en croupe traditionnel l'obligation de rendre l'espace habitable à l'intérieur de l'angle de la toiture, déterminé essentiellement par ses fonctions d'écoulement de l'eau et d'élément de la structure du bâtiment, se résout par une élégante déformation du comble originel. Dans ces exemples la déformation n'est pas là pour produire un effet, comme dans le style Roccoco ou l'Expressionnisme germanique, pour lesquels il n'y a pas de contraste entre ce qui est déformé et ce qui ne l'est pas.

En plus de la déformation due aux circonstances, il y a d'autres techniques d'adaptation. De tels expédients astucieux se rencontrent dans toute architecture anonyme rattachée à un style rigide et conventionnel. On les utilise pour adapter l'ordre à des situations qui lui sont contradictoires : souvent pour des raisons topographiques. Le corbeau de la maison de Domegge (67) est un truc qui permet avantageusement et avec rigueur de passer de la symétrie de la façade à la symétrie du pignon tout en servant de support au surplomb dissymétrique du côté droit. Le jeu haut en couleurs de l'ordre et du contexte est en fait un trait caractéristique de toute l'architecture italienne avec ses audacieuses contradictions entre majesté et opportunisme. Le poteau sculpté au centre du portail intérieur de Vézelay (68), qui étaie le tympan, rompt la perspective sur l'autel. C'est un arrangement commode transformé en événement. Dans le projet de Kahn pour le Trenton Community Center, les poutrelles de largeur singulière de la grande travée du gymnase sont une solution exceptionnelle destinée à contreventer les coupoles du toit. En plan elles sont

64

65

66

67

68

rendues visibles par les colonnes pleines qui les supportent (69). On trouve bon nombre de ces procédés dans l'œuvre de Lutyens. La rupture sur le côté de la maison qu'on appelle The Salutation à Sandwich (70) est un arrangement dont le rôle est spatial. En permettant un éclairage naturel du palier de l'escalier principal, elle brise l'ordre et crée un effet de surprise dans le prisme classique de la maison. (De même dans certains tableaux de Jasper John le procédé est mis en évidence par des flèches et des indications).

Le Corbusier est aujourd'hui un maître de l'exception significative, autre technique d'adaptation. Comme je l'ai montré, il brise l'ordre des baies du rez-de-chaussée de la Villa Savoie (5), en déplaçant une colonne et en en supprimant une autre, afin de l'adapter aux circonstances exceptionnelles exigeant espace et circulation aisée. Par ce compromis éloquent Le Corbusier rend plus intense la régularité dominante de sa composition.

Une position exceptionnelle des fenêtres, comme une modification significative d'une colonnade engendrent généralement une symétrie déformée. Par exemple les fenêtres de Mount Vernon (71) ne sont pas implantées de manière exactement symétrique. Au lieu de cela, leur répartition est le résultat des rénovations récentes, et elle brise l'ordre dominant du fronton central et des ailes symétriques. Dans la Low House (72) de Mc Kim, Mead et White la position exceptionnelle et criarde des fenêtres de la façade Nord s'oppose au solide ordre symétrique de sa silhouette, mais permet l'adaptation aux aspects complexes du programme d'une maison familiale. Les écartements très finement déformés des fenêtres de la maison faite par H. Richardson pour Henry Adams à Washington (73) reflètent les circonstances particulières dues aux fonctions privées du programme intérieur, mais elles conservent la régularité et la symétrie exigées par le caractère public d'un bâtiment majestueux de Lafayette Square. Ici le subtil compromis entre l'ordre et la situation, l'extérieur et l'intérieur, le caractère privé et le caractère public, confère à la façade un rythme ambigu et une tension accrue.

Les ouvertures variées du Palazzo Tarugi (60), dont la forme et l'emplacement sont exceptionnels, brisent l'ordre dominant des pilastres d'une façade typique de style italien. Lewis Mumford, au cours d'un séminaire de l'Université de Pennsylvanie en 1963, comparait la position exceptionnelle des fenêtres de la façade Sud du Palais des Doges avec la façade vitrée créée par Eero Saarinen pour l'Ambassade Américaine de Londres. Les rythmes solides et dominants du bâtiment de l'Ambassade cherchent à nier toutes les occasions de complexité que comporte son programme moderne et à exprimer la pureté desséchée d'un service public bureaucratisé. L'aile de la chapelle à Versailles est une exception significative au-delà de l'étendue des colonnes et

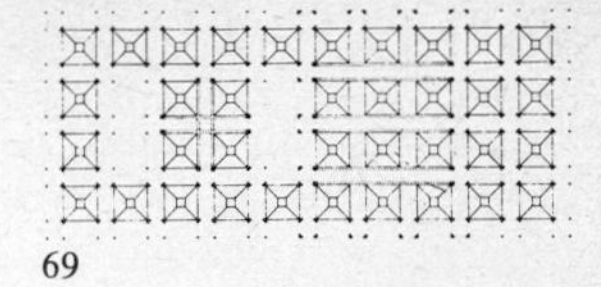
69

70

71

72

des fenêtres. Par sa position, sa forme et sa hauteur, elle apporte vitalité et vigueur à l'ordre symétrique dominant l'ensemble, une vitalité qui par exemple, fait visiblement défaut à Caserta, où l'ordre extérieur du palais énorme et compliqué est parfaitement continu.

En architecture moderne nous avons trop longtemps travaillé en nous limitant aux formes rectangulaires rigides qui, soi-disant, sont nées des exigences techniques de l'ossature et des murs-rideaux produits en série. En comparant le Seagram Building de Mies et Johnson (74) au projet de Kahn pour un immeuble de bureaux à Philadelphie (75), on peut voir que Mies et Johson plutôt que de tenir compte des contradictions dues aux diagonales de contreventement, préfèrent exprimer une ossature rectangulaire. Kahn a dit un jour que le Seagram Building ressemblait à une très belle dame cachant son corset. Kahn, au contraire, exprime les contreventements, mais aux dépens des éléments verticaux tels que les ascenseurs et aux dépens, il faut le dire, de l'espace destiné aux usagers.

Cependant, dans bon nombre de leurs œuvres, le Corbusier et Aalto parviennent à atteindre un équilibre, ou peut-être une tension, entre le caractère rectiligne des techniques de la production en série, et l'oblique, caractéristique des conditions exceptionnelles. Dans son immeuble d'appartements à Brême (76), Aalto a conservé l'ordre rectangulaire de l'unité d'habitation de base de Le Corbusier, et en a fait le motif de ses bandes verticales d'appartements (77), mais il a implanté les refends en diagonale de manière à orienter l'unité d'habitation vers le Sud, vers la lumière et la vue. L'escalier Nord et les zones de circulation conservent un plan strictement rectiligne. Même les logements situés aux extrémités conservent un caractère rectiligne fondamental et la régularité de l'espace. Et au Centre Culturel de Wolfsburg (78), Aalto, en élaborant les formes nécessairement obliques des auditoriums, conserve rigoureusement une configuration rectangulaire à l'ensemble de la composition.

Différent est le projet de Kahn pour Goldenberg House (79), dans lequel l'oblique exceptionnelle est d'une part un élément de la structure et d'autre part un élément spatial, créant une série d'espaces enveloppant les angles du bâtiment, ce qui évite le chevauchement des façades l'une sur l'autre.

Mies n'admet rien en travers de son ordre rigoureux, des points, des lignes et des plans de ses pavillons toujours parfaitement achevés. Si Wright camoufle les exceptions dictées par les circonstances, Mies, lui, les exclut : « less is more » (*cf.* note ci-dessus p. 18). Depuis 1940 Mies n'a pas utilisé une seule oblique dictée par les circonstances, et dans sa série de projets de maisons à patios, en 1930 (80) les obliques découlent du plan libre plus qu'elles ne sont

73

74

75

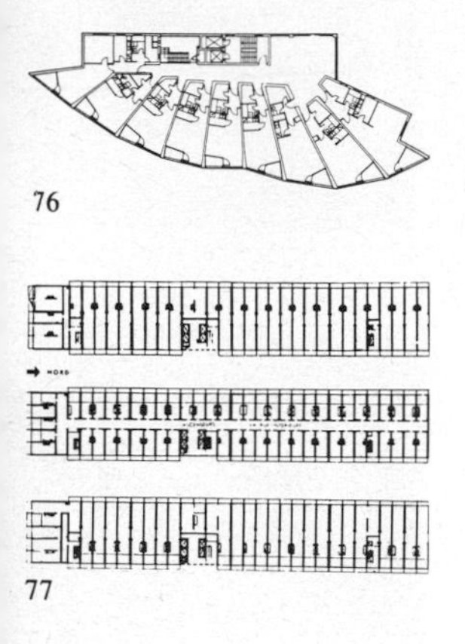

76

77

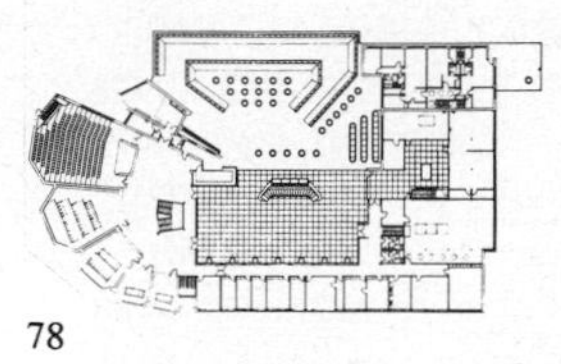

78

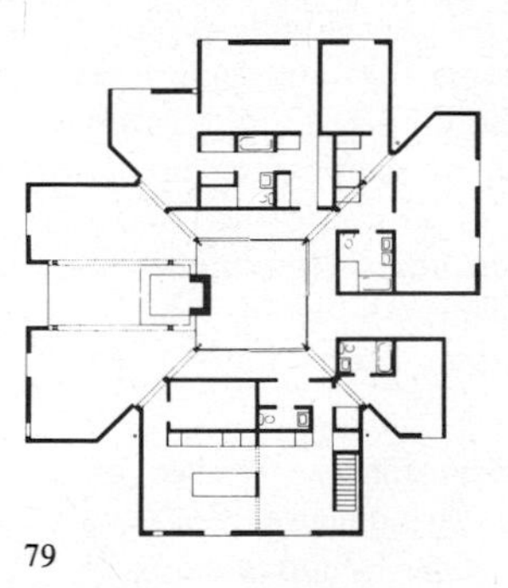

79

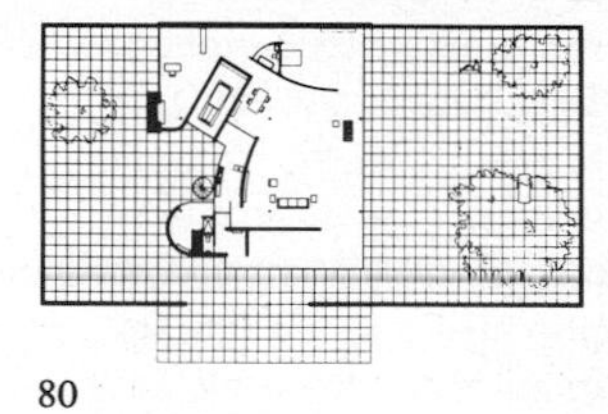

80

81

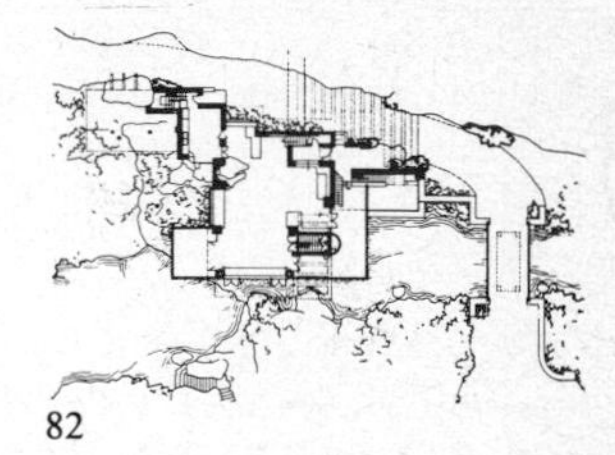

82

imposées par les circonstances. Comme le caractère oblique est dominant et non exceptionnel, et qu'il est librement contenu dans son cadre rectangulaire, il n'y a qu'une faible tension entre les obliques et les angles droits. Les barres diagonales des fermes dans les bâtiments à grande portée de Mies ne sont bien sûr pas des exceptions dues aux circonstances.

83

Pour en revenir à la Villa Savoie, il est clair que l'oblique exceptionnelle de la rampe sert à la fois en coupe et en élévation (12) et permet à Le Corbusier de contredire violemment l'ordre régulier des portiques et de l'enveloppe générale. Cette conception contraste fortement avec celle de Wright dont la prédilection pour la continuité horizontale, aux dépens de tout le reste, est bien connue. Même dans l'escalier de Fallingwater (81), dont l'emplacement est inhabituel, Wright supprime toute oblique. Il n'y a ni limon ni rampes, mais seulement les niveaux horizontaux des marches et les lignes verticales des tiges auxquelles l'escalier est suspendu. De même à l'intérieur (82) Wright cache les escaliers entre des murs (comme il le fait dans presque toutes ses maisons), alors que Le Corbusier glorifie les obliques rigoureuses de la rampe et la courbe continue de l'escalier en spirale (5 et 83). Nous avons déjà vu comment Le Corbusier adapte profondément l'architecture de la Villa Savoie (84) aux exigences exceptionnelles de l'automobile. Mais l'ordre de Wright ne permet pas d'incohérences : le pont est perpendiculaire et intégré à l'ordre de la maison et la courbure de l'accès réservé aux voitures est ignorée. Cet accès est comme un chemin dans les bois, parcimonieusement tracé en pointillé sur le plan (82 et 85). Que la voiture puisse tourner est presque fortuit.

84

85

Si l'oblique est due à des circonstances internes ou externes, elle est presque toujours harmonieuse. Soit elle se confond dans l'ordre, soit elle domine la composition et en est le motif central. Dans le projet pour la Vigo Schmidt House, l'oblique s'intègre dans la trame générale triangulaire. Dans la David Wright House le bâtiment entier devient une rampe oblique. Au Guggenheim Museum, où la spirale ascendante intérieure est l'élément dominant d'un programme plus complexe, ce sont les formes rectangulaires et verticales qui expriment les circonstances exceptionnelles. A l'intérieur, l'ordre vertical de la structure et notamment des cages pleines contenant les toilettes est organisé de manière à équilibrer la spirale convergente de la rampe.

Aalto, lui, adapte l'ordre à l'exception due aux circonstances symbolisée par l'oblique. Dans les exemples donnés Kahn fait de même, bien qu'une rigidité extrême domine les premiers plans du Capitole de Dacca, malgré l'étendue et la complexité du projet. Le Corbusier juxtapose l'oblique exceptionnelle. Mies l'exclut, Wright la cache ou la prend pour principe de l'ordre tout entier; l'exception devient la règle.

Ces idées peuvent s'appliquer à la composition et à l'analyse des villes, dont les programmes sont bien sûr plus vastes et plus complexes que ceux de simples bâtiments. L'ordre spatial cohérent de la place Saint Marc, par exemple (86) ne manque pas de violentes contradictions : d'échelle, de rythmes et de matériaux, sans parler des styles et des hauteurs variés des bâtiments qui l'entourent. N'y a-t-il pas là une qualité comparable à la vie de Times Square (87) où l'incohérence discordante des bâtiments et des affiches est contenue par l'ordre rigoureux de la place elle-même? Ce qui est voyant et criard ne devient chaotique et pernicieux qu'en franchissant ses frontières spatiales pour se répandre sur le terrain vague ou la grand' route (si dans « God's Own Junkyard » Peter Blake avait choisi pour son livre des exemples moins absolument laids de paysages routiers, sa démonstration, là du moins où elle porte sur la banalité de l'architecture qui borde les routes, en aurait été paradoxalement plus forte). Il semble que notre destin soit de nous trouver en présence soit des incohérences sans fin de la ville-route (88), qui est un chaos, soit de la cohérence infinie de Levittown (ou d'un décor de ce type, décor universellement répandu, 89), qui est le royaume de l'ennui. Sur la grand' route nous rencontrons une fausse complexité; à Levittown une fausse simplicité. Une chose est claire : à partir d'une telle fausse cohérence ne naîtront jamais de vraies villes. Les villes, comme l'architecture, sont complexes et contradictoires.

86

87

88

89

8. *La contradiction juxtaposée*

« Le groupe se mit en marche mais s'écarta légèrement
de la route directe pour jeter un coup d'œil aux restes imposants
du temple de Mars Ultor, à l'intérieur desquels
un couvent de religieuses est maintenant installé, —
un pigeonnier dans la demeure du dieu de la guerre —
Non loin de là, ils passèrent près du portique d'un temple dédié
à Minerve, à l'architecture très riche et très belle, mais
tristement rongée par le temps et fracassée par la violence,
et en outre enfouie jusqu'à moitié dans l'amas de terre
qui monte sur la Rome morte comme une marée.
A l'intérieur de cet édifice d'une sainteté antique,
une boulangerie était maintenant établie, avec une entrée
sur l'un des côtés; car, partout, on a disposé des restes
de l'ancienne grandeur et de l'ancienne religion pour les nécessités
les plus méprisables de notre époque. » (*)

90

Si la « contradiction adaptée » correspond au traitement en douceur, la « contradiction juxtaposée », elle, implique un traitement de choc. La Villa Pignatelli (62) *adapte des différences,* mais la Villa Palomba (63) *juxtapose des contrastes :* les rapports contradictoires deviennent évidents dans la discordance des rythmes, des orientations ou des voisinages et surtout dans ce que j'appellerai les surcontiguïtés — la superposition d'éléments variés.

Le Millowner's Building de Le Corbusier à Ahmedabad (90), fournit un des rares exemples de contradictions juxtaposées en architecture moderne. Dans l'importante façade Sud, le dessin répétitif des brise-soleil crée un rythme que rompent violemment l'espace vide de l'entrée, la rampe et les escaliers. Ces derniers éléments, des diagonales variées,

(*) Nathaniel Hawthorne, *The Marble Faun,* Dell Publishing Co, Inc, New York, 1961.

créent de violentes juxtapositions sur le côté, et de violentes surcontiguïtés sur la façade dans leurs rapports avec les divisions rectangulaires et statiques des étages à l'intérieur de la forme de boîte à savon du bâtiment. La juxtaposition des diagonales et des perpendiculaires crée aussi des orientations contradictoires : la rencontre de la rampe et des escaliers n'est que légèrement adoucie par l'espace vide exceptionnellement large et par la modification du rythme des éléments sur cette partie de la façade. Mais ces contradictions au niveau de la perception visuelle, deviennent encore plus riches quand vous vous rapprochez et entrez dans le bâtiment. Les juxtapositions et les surcontiguïtés de dimensions, de directions et de fonctions contradictoires peuvent le faire ressembler à un modèle réduit de l'architecture de viaducs de Kahn. Dans le Palais des Deux Assemblées de Le Corbusier à Chandigarh (65), la salle conique de l'assemblée coincée dans la trame rectangulaire représente une surcontiguïté dans les trois dimensions d'un caractère très violent.

91

Un type de contradiction juxtaposée essentiellement bi-dimensionnel nous est fourni par la « façade sur rue » dans une ville. La Clearing House de Frank Furness (91), maintenant démolie comme nombre de ses meilleures œuvres à Philadelphie, contenait un déploiement de violentes tensions à l'intérieur d'un cadre rigide. Le demi-segment d'arche bloqué par la tour noyée dans la façade, celle-ci à son tour, partageant la façade presque en deux parties égales, et les juxtapositions violentes de rectangles, de carrés, de lunettes et de diagonales, de tailles contradictoires, composent un bâtiment qui semble ne tenir debout que grâce aux maisons voisines — on dirait une nouvelle écrite par un dément : « un château dans une rue de la ville ». Toutes les relations de la structure et du plan y contredisent les règles sévères assignées à une façade, à l'alignement d'une rue et à une rangée de maisons contiguës.

92

La façade rectangulaire du Palazzo del Popolo à Ascoli Piceno (92) fournit l'exemple d'une contradiction juxtaposée provenant de rénovations successives et non de la création instantanée d'un architecte unique. Cette façade abonde en juxtapositions et surcontiguïtés violentes : arcades ouvertes et fermées, corniches continues et discontinues, grandes et petites fenêtres, portes et portails, horloges, cartouches, balcons et boutiques. Tout cela produit des rythmes interrompus et reflète la dualité contradictoire entre le privé et le public, entre l'ordre et les circonstances. Les ailes massives aux panneaux rayés de All Saints Church de Butterfield, dans Margaret Street à Londres (93), jurent quand elles viennent en contact. L'indépendance relative des formes, malgré leur proximité, est un exemple tout-à-fait typique de ce qui distingue la contradiction juxtaposée de la contradiction adaptée.

93

Le caractère rustique du style maniériste choque de la même manière quand il vient jouxter les détails précis des ordres classiques d'une façade Renaissance. Mais la loggia de Michel-Ange, au Palais Farnèse, au centre de l'étage supérieur de la façade arrière, reflète dans ses rapports avec les murs qui lui sont adjacents, une sorte de contradiction plus ambiguë (94). Au centre de l'étage inférieur les éléments exceptionnels de Giacomo Della Porta – pilastres, arcs et architraves – n'introduisent qu'une légère variation de rythme et aucune variation d'échelle, et le passage des fenêtres traditionnelles placées de chaque côté, aux baies centrales est harmonieux d'échelle et de modénature. Au-dessus, le rythme et l'échelle des ouvertures de la loggia de Michel-Ange, aussi bien que la plus grande hauteur sous plafond qu'elles impliquent, contrastent violemment avec les éléments caractéristiques qui l'encadrent. De même les pilastres, à cause de leur taille et de leur hauteur, brisent violemment la frise sous la corniche; et la corniche elle-même, pour s'harmoniser avec les ressauts et la hardiesse des éléments inférieurs, est en retrait au lieu d'être saillante. Les dimensions de la corniche sont plus petites à cause de l'accroissement du rythme des modillons, mais les modillons eux-mêmes (des têtes de lions) sont identiques à ceux de l'autre corniche et les moulures sont continues d'une extrémité à l'autre. De la même manière, une combinaison ambiguë de contradictions à la fois juxtaposées et adaptées apparaît dans les baies intermédiaires à l'intérieur de la niche.

Dans la Chapelle des Médicis de Michel-Ange, à San Lorenzo (95) le décor, qui est presque à l'échelle du mobilier, des éléments en marbre à l'intérieur des baies est adjacent aux très grandes dimensions de l'ordre colossal des pilastres. Les ordres classiques établissent une autre sorte de juxtaposition contradictoire quand l'ordre colossal est adjacent à l'ordre mineur et leur rapport est constant qu'elles que soient leur taille. La combinaison, faite par Jefferson, de colonnes de tailles différentes, à l'Université de Virginie (96), contredit le principe qui veut qu'à chaque taille correspond un type de structure. Mais la juxtaposition d'éléments, contradictoires par la taille, mais proportionnels par la forme, comme les pyramides de Gizeh, est caractéristique d'une technique monumentale élémentaire. Sur les façades des cathédrales de Grenade (97) et de Foligno (98), la juxtaposition des cercles, des demi-cercles et des triangles, de tailles variées, à l'intérieur des baies et sur les piliers et, à Eastbury (99), les gigantesques ouvertures à arcades de Vanbrugh, ayant les mêmes proportions que les fenêtres à arcades auxquelles elles sont superposées, créent une tension étrange qui n'est pas sans rappeler celle qu'exploite Jasper John dans ses peintures de drapeaux superposés (100). La maison réservée aux hôtes, qui se trouvait derrière

94

95

96

97

98

99

100

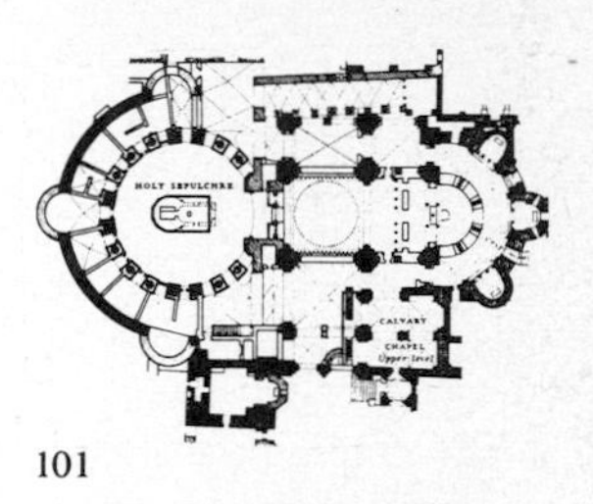

101

102

la Low House de Mc Kim, Mead et White était une réduction de cette maison en ce qui concerne son enveloppe générale.

Outre ces juxtapositions violentes, il existe des contrastes dans les orientations à l'intérieur d'un ensemble. L'Église du Saint-Sépulcre à Jérusalem (101), qui a été profondément remaniée et le Centre Culturel d'Aalto à Wolfsburg (78), pré-rénové pour ainsi dire, contiennent des murs et des séries de colonnes dont les directions contradictoires sont d'intensité presque égale. Les ailes et les saillies de la maison Shingle Style, appelée Kragsyde, à Manchester-by-the-Sea (102), sont contenues à l'intérieur d'un périmètre dominant, mais comprennent toutefois une multitude de directions, notamment en élévation.

103

Des directions juxtaposées créent des rythmes complexes et contradictoires. La figure (103) montre un fauteuil de Caserte qui contient des rythmes curvilignes et rectangulaires qui s'opposent violemment. A une autre échelle l'intérieur de l'Auditorium d'Adler et Sullivan (104) renferme des juxtapositions de courbes agressives et des répétitions variées. Dans une certaine architecture italienne anonyme des arcades adjacentes contradictoires contiennent des rythmes en contrepoint (105).

104

La surcontiguïté inclut plutôt qu'elle n'exclut. Elle peut réunir des éléments contradictoires par ailleurs inconciliables; elle peut comprendre des oppositions à l'intérieur d'un tout; et elle peut permettre une multitude de niveaux de signification puisqu'elle englobe des contextes changeants — voir des objets familiers d'une manière inhabituelle et de points de vue inattendus. On peut considérer la surcontiguïté comme une variante de l'idée de simultanéité exprimée par le Cubisme et par une certaine architecture moderne orthodoxe qui emploie la transparence. Mais cette idée contredit l'interpénétration à angle droit de l'espace et de la forme caractéristique de l'œuvre de Wright. De la surcontiguïté peut naître une vraie richesse, par opposition à la richesse superficielle de l'écran qui est typique de l'architecture « paisible ». Ses manifestations, comme nous l'allons voir, sont aussi diverses que les murs appareillés de Bramante dans la cour du Belvédère du Palais du Vatican (106) et que les « ruines enveloppant les bâtiments » au Salk Institute for Biological Studies de Kahn (107).

105

Il peut y avoir surcontiguïté entre des éléments éloignés : ainsi le propylée devant un temple grec encadre-t-il la composition et relie le premier plan à l'arrière-plan. De telles superpositions changent lorsqu'on se déplace dans l'espace. La surcontiguïté peut aussi apparaître là où les éléments superposés se touchent réellement au lieu d'être uniquement en contact visuel. C'est la méthode de l'architecture gothique et de l'architecture de la Renaissance. Les murs de la nef des cathédrales gothiques contiennent des arcades d'ordres et de dimensions différentes. Les fûts et les nervures, les lignes

106

d'assise, et les arcs qui constituent ces arcades se pénètrent et se superposent les uns aux autres. A la cathédrale de Gloucester (108) la surcontiguïté est contradictoire d'échelle et d'orientation : l'énorme arc-boutant incliné traverse, à l'intérieur du mur du transept, l'ordonnance délicate des arcades. Toutes les façades maniéristes et baroques comprennent des surcontiguïtés et des interpénétrations dans le même plan. Les ordres colossaux par rapport aux ordres mineurs expriment des contradictions de dimension dans le même bâtiment, et la série des pilastres superposés dans l'architecture baroque crée une profondeur spatiale dans un mur plat.

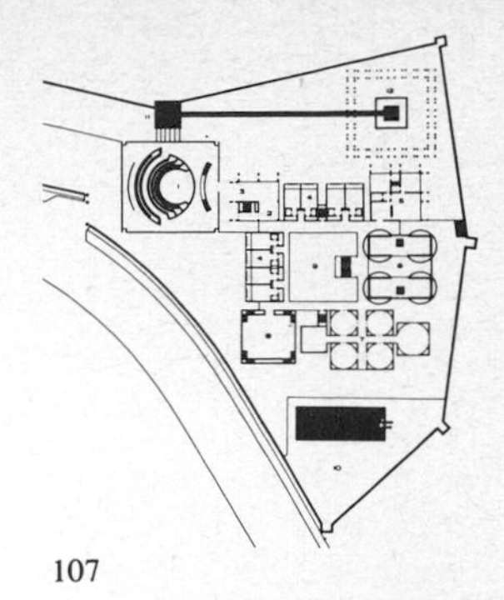

107

La superposition sculpturale du portail et du portique dans le pavillon de Vignole à Bomarzo (17) et les pilastres tronqués de la façade principale de l'église Belén à Cuzco sont peut-être des solécismes intriguants, mais les surcontiguïtés complexes des façades du cloître à Tomar (109) composent un mur qui réussit, fort bien, à enclore des espaces à l'intérieur de lui-même. Les nombreuses séries de colonnes – engagées et non-engagées – grandes et petites, directement et indirectement superposées – la profusion d'ouvertures superposées, d'architraves et de balustrades horizontales et diagonales, créent des contrastes et des contradictions sur les plans de l'échelle, de la direction, de la taille et de la forme. Elles forment un mur contenant des espaces à l'intérieur de lui-même. Je reviendrai sur cette sorte de redondance légitime dans le prochain chapitre qui traite de la différence entre l'intérieur et l'extérieur.

108

Les divers éléments structuraux qui entourent la grande porte de la Porta Pia (110 et 111) sont superposés autant comme ornements que comme structure. On trouve là une multitude de surcontiguïtés, redondantes et emphatiques, d'un type d'ornement qui est « proche » de la structure. Les arêtes vulnérables de l'ouverture sont protégées sur les côtés par un ornement rustique. Sur cet ornement on a superposé des pilastres qui, en outre, délimitent les côtés de la porte et qui, avec les consoles à volutes du dessus, portent le lourd et complexe fronton. L'importance de cette ouverture dans le mur porteur est accentuée par des juxtapositions supplémentaires. Le fronton incliné protège le bloc rectangulaire de l'inscription et le segment concave de la guirlande sculptée qui, à son tour, s'oppose à la courbe semi-circulaire de l'arc de décharge. L'arc est à l'origine d'une série d'éléments structuraux surabondants, y compris le linteau horizontal qui, à son tour, décharge l'arc surbaissé – prolongement de l'ornement rustique. Des consoles ou encorbellements, qui diminuent la portée, sont suggérées par les diagonales des angles supérieurs de l'ouverture. La clef de voûte aux dimensions exagérées est superposée à l'arc surbaissé, au linteau et au tympan de l'arc.

109

Dans leurs relations complexes ces éléments sont, à des

degrés variés, à la fois porteurs et décoratifs, souvent surabondants et quelquefois archaïques. Dans cette combinaison où l'on trouve, presque sur un pied d'égalité, horizontales, verticales, diagonales et courbes, ils rappellent les cadres violemment superposés de Sullivan autour de l'œil-de-bœuf du bâtiment en forme de boîte à savon de la Merchants' National Bank à Grinnell, Iowa (112).

Dans le projet de Lutyens pour la cathédrale de Liverpool (113) les minuscules fenêtres dispersées, perçues comme des points noirs, imposent leur dessin indépendant aux formes symétriques et monumentales du bâtiment tout entier. Le réseau souple des petites fenêtres dessert les zones de service nécessaires à l'indispensable entretien du bâtiment et crée une dimension humaine qui contraste avec sa rigidité monumentale. A Philadelphie le plan quadrillé des rues, qui reflète la circulation à l'échelle locale, est superposé aux avenues diagonales convergentes qui correspondent à la circulation à l'échelle régionale dans la ville, parce qu'à l'origine elles reliaient le centre aux villes voisines. Ces juxtapositions créent des îlots triangulaires résiduels composés de bâtiments aux formes inhabituelles, ce qui confère à la ville un aspect original et changeant. Les « squares » de Manhattan formés par les intersections de la diagonale unique de Broadway — par exemple Madison, Union, Herald et Times Squares — sont devenus des lieux particuliers chacun avec son caractère individuel, ce qui ajoute vitalité et tension à la grille qui recouvre la ville. La diagonale contradictoire, presque inévitable, de la voie du chemin de fer, dans le plan quadrillé typiquement américian des villes de la plaine, rappelle aussi avec force la dimension contradictoire de la région toute entière. Le métro aérien américain du dix-neuvième siècle, qui était superposé à la rue, était une anticipation de la ville à plusieurs niveaux, comme l'a imaginée Sigmond pour Berlin en 1958 (114) : il proposait une ville à plusieurs niveaux avec des voies à grande circulation surélevées au-dessus du trafic local. Dans cette sorte de superposition le degré de séparation varie entre la superposition changeante, presque occasionnelle, de formes très séparées dans l'espace, et l'interpénétration de superpositions dans le même plan. Les surcontiguïtés, à ce degré intermédiaire, sont en rapports étroits mais ne se touchent pas, comme s'il s'agissait d'une doublure qui n'adhérerait pas. Elles sont rares aussi en architecture moderne.

Les arcades romanes de la Cathédrale de Lucques (115), les découpures gothiques de la Cathédrale de Strasbourg (116) ou l'intérieur du choeur de Notre-Dame à Paris (117), les galeries Renaissance de Chambord (118), ou les colonnettes extérieures du premier étage de la Casa Battló de Gaudi (119), ou les colonnes de la galerie à l'intérieur de sa Casa Güell (120), sont toutes non-engagées et superposées à des fenêtres au dessin contradictoire. La grande

110

111

112

113

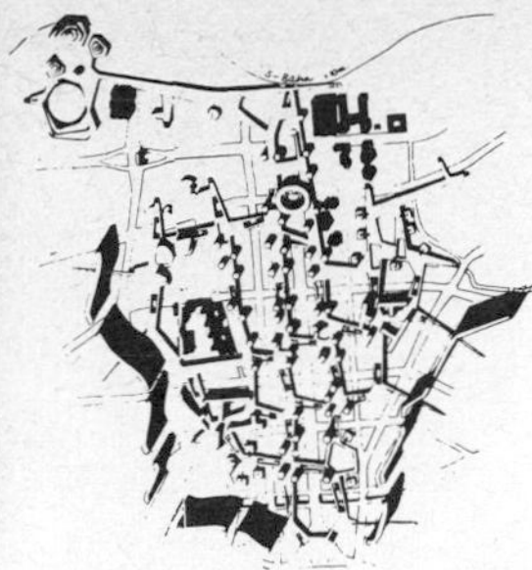
114

115

116

117

118

119

120

121

122

123

124

125

126

127

128

dimension publique et l'ordre rigide de l'extérieur s'opposent avec éclat à la petite dimension privée des motifs requise à l'intérieur. Ce jeu de séries d'ouvertures est quelquefois discordant dans le rythme et la dimension : l'ouverture de l'arc géant de Vanbrugh à Eastbury (99) et celle d'Armando Brazini dans le Forestry Building de l'Exposition Universelle de Rome (121) illustrent la même sorte de surcontiguïté entre les murs intérieurs et extérieurs, mais la façade de Brazini comporte des rythmes discordants. Sur la façade de l'entrée des cuisines à Blenheim (59) par Vanbrugh, les colonnes non-engagées, qui encadrent la grande ouverture, sont superposées d'une manière discordante aux fenêtres qui constituent, pour une part, le dessin régulier et rythmé qui est derrière. On trouve aussi cela à Seaton Delaval (122) où les colonnes non-engagées obstruent certaines fenêtres. La façade de Saint Maclou à Rouen (123) est constituée de séries d'éléments obliques – frontons à entrelacs, toits et arcs-boutant – dont les fonctions sont différentes malgré des formes analogues. Ces juxtapositions sont relativement séparées si on les compare à la façade du Il Redentore (51) dont les obliques superposées avec ambiguïté sont à la fois des frontons brisés et des contreforts.

D'autres bâtiments contiennent des degrés similaires de surcontiguïté à l'intérieur, sous forme de revêtements extrêmement articulés ou séparés. Dans le chœur de la Wieskirche (124) la colonnade qui court parallèlement aux murs, à une courte distance, engendre des juxtapositions changeantes et rythmées avec les pilastres et les ouvertures des fenêtres dans les murs. L'arc intérieur de Soane, dans l'Insolvent Debtors'Court à Londres (125), crée une surcontiguïté plus contradictoire avec les fenêtres du mur situé presque immédiatement en arrière.

En architecture moderne des juxtapositions contradictoires de dimensions, englobant les éléments immédiatement adjacents, sont même plus rares que les surcontiguïtés. On peut voir un tel emploi de la dimension dans la juxtaposition accidentelle de la tête colossale de Constantin et des volets persiennés dans la cour du Capitoline Museum (126). Il est significatif que ce soit habituellement dans des formes non architecturales (127) qu'apparaissent de nos jours de tels contrastes d'échelle. J'ai parlé ailleurs de la juxtaposition des ordres colossal et mineur dans l'architecture maniériste et baroque. Sur la façade arrière de Saint Pierre (128 et 129) Michel-Ange a créé un contraste de dimensions encore plus contradictoire : une fausse fenêtre est placée à côté d'un chapiteau plus grand que la fenêtre elle-même. Sur la façade de la cathédrale de Crémone (130) on trouve une violente juxtaposition de petites arcades et d'une énorme rosace au-dessus. Ce qui est l'expression, dans un bâtiment, à la fois de la dimension du bâtiment lui-même et de la dimension de la ville qu'il domine de sorte qu'il peut être vu de près tout en

130

131

s'imposant à distance. A la cathédrale de Cefalu (131) l'image du Christ en mosaïque, importante d'un point de vue symbolique, est relativement grande par rapport au reste de la décoration. Dans le temple d'Apollon à Didyme (132) l'énorme porte centrale, dont l'échelle géante est la même que celle des colonnes du portique, contraste avec les petites portes latérales de la même façade. Comme Lutyens à Middleton Park (133), Le Corbusier dans la Villa Stein (134) oppose l'échelle de l'entrée à celle des portes de service. Le contraste est très intense, non parce que les portes sont adjacentes, mais parce qu'elles occupent des positions équivalentes sur une façade essentiellement symétrique. A la Casa Güell (135) Gaudi superpose la petite porte des piétons à la grande porte pour les véhicules. Toutes ces contradictions juxtaposées engendrent une forte tension. On rencontre parfois cette juxtaposition d'éléments d'échelle différente dans nos villes, mais c'est en général l'effet du hasard plutôt que d'une volonté consciente; ainsi l'archaïque Trinity Church dans Wall Street, ou des juxtapositions d'autoroutes et de bâtiments préexistants (136), qui sont des altérations du rapprochement exagéré des petites maisons et des immenses cathédrales ou des murs d'enceinte dans les villes du Moyen-Age. Certains urbanistes cependant sont maintenant plus enclins à mettre en question la prolixité de l'orthodoxe découpage en zones et à permettre des proximités violentes dans leurs projets, du moins en théorie, que ne le sont les architectes à l'intérieur de leurs bâtiments.

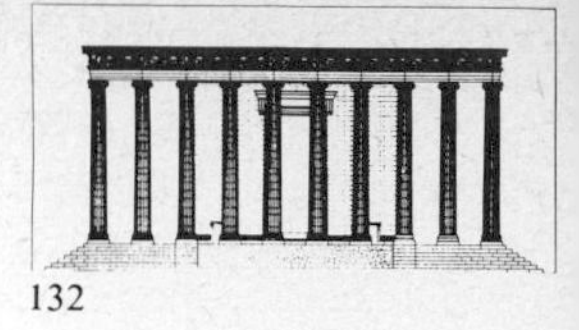
132

133

134

135

136

9. *L'intérieur et l'extérieur*

Alors que sa forme extérieure est en général assez simple,
l'intérieur d'un organisme vivant contient un ramassis de structures
d'une stupéfiante complexité qui a longtemps fait les délices
des anatomistes.
La forme spécifique d'une plante ou d'un animal est déterminée
non seulement par les gènes de l'organisme
et par l'activité du cytoplasme qu'ils commandent,
mais aussi par l'interaction entre la constitution
génétique et l'environnement. Un gène donné
ne contrôle pas un trait spécifique,
mais une réaction spécifique face à un environnement spécifique. (*)

Le contraste entre l'intérieur et l'extérieur peut être une manifestation majeure de la contradiction en architecture. Pourtant une des orthodoxies les plus puissantes du vingtième siècle a exigé qu'il y ait continuité entre eux : l'intérieur doit s'exprimer à l'extérieur. Mais ceci n'est pas réellement nouveau, seuls nos moyens sont nouveaux. L'intérieur d'une église Renaissance, par exemple (137), présente une continuité avec l'extérieur; le lexique intérieur des pilastres, corniches et larmiers est presque identique, pour ce qui est des dimensions et quelquefois du matériau, à son lexique extérieur. Il en résulte une légère modification mais peu de contraste et pas de surprise.

137

L'apport sans doute le plus hardi de l'architecture moderne orthodoxe est ce qu'on a appelé le plan libre, qu'on utilisait pour parfaire la continuité de l'intérieur et de

(*) Edmund W. Sinnott, *The Problem of Organic Form,* Yale University Press, New Haven, 1963.

l'extérieur. Ce principe a été mis en évidence par des historiens, depuis la découverte par Vincent Scully de ses balbutiements dans les intérieurs de style Shingle jusqu'à son épanouissement avec la Prairie House et à son point culminant avec De Stijl et le pavillon de Barcelone. Le plan libre a produit une architecture faite de plans horizontaux et verticaux liés entre eux. L'indépendance visuelle de ces plans ininterrompus était barrée par des aires de jonction en glace transparente : la fenêtre en tant que trou dans un mur disparut et fut remplacée par une interruption du mur pour être saisie par l'œil comme un élément positif du bâtiment. Une telle architecture sans angles impliquait une continuité extrême de l'espace. Cette accentuation de l'unité de l'espace intérieur et extérieur a été permise par les nouveaux équipements techniques qui, pour la première fois, ont rendu l'intérieur thermiquement indépendant de l'extérieur.

Mais la vieille tradition de l'espace intérieur clos et contrasté, que je me propose d'analyser ici, a été reconnue par quelques maîtres modernes, même si les historiens ne l'ont guère mise en relief. Bien que Wright ait effectivement « détruit la boîte » dans la Prairie House, les angles arrondis et les murs pleins du Johnson Wax Administration Building sont analogues aux angles biais ou arrondis des intérieurs de Borromini et à ceux de ses successeurs du dix-huitième siècle, et leur but est le même : exagérer l'impression d'enclos horizontal et accentuer le caractère séparé et l'unité de l'espace intérieur par la continuité des quatre murs. Mais Wright, à l'inverse de Borromini, n'a pas percé de fenêtres dans ses murs continus. Cela aurait affaibli l'audacieux contraste de l'espace clos horizontal avec l'ouverture verticale. Cela aurait aussi été pour lui trop traditionnel et trop ambigu du point de vue de la structure.

Le but essentiel de l'intérieur d'un bâtiment est de fermer l'espace et non de l'orienter, et de séparer l'intérieur de l'extérieur. Kahn a dit : « Un bâtiment est un objet qui abrite ». C'est une fonction ancienne de la maison que de protéger et de permettre une vie privée aussi bien psychologique que matérielle. Le Johnson Wax Building engendre une tradition supplémentaire : la distinction significative des espaces intérieurs et extérieurs. Wright, outre qu'il fermait l'intérieur avec des murs, différenciait la lumière intérieure, principe qui a connu une riche évolution depuis l'architecture byzantine, gothique et baroque jusqu'à l'architecture contemporaine de Le Corbusier et de Kahn. L'intérieur *« est »* différent de l'extérieur.

Mais il y a d'autres excellents moyens pour distinguer et relier l'espace intérieur et extérieur, qui sont étrangers à notre architecture récente. Eliel Saarinen disait que, comme un bâtiment est « l'organisation de l'espace dans l'espace; il en est de même pour la communauté. De même pour la ville » [35]. Je pense que cette série peut partir de l'idée qu'une

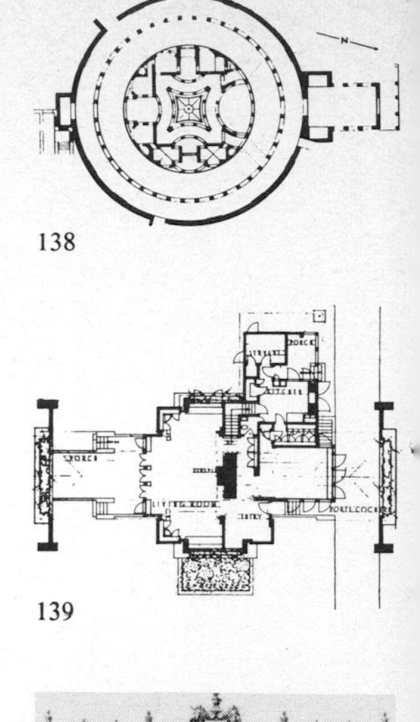

138

139

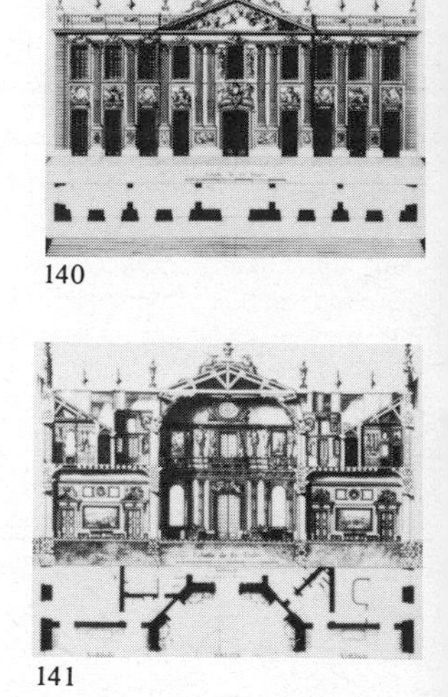

140

141

chambre est un espace dans l'espace. Et je voudrais appliquer la définition des rapports de Saarinen non seulement aux rapports spatiaux du bâtiment avec son site, mais aussi aux rapports des espaces intérieurs au sein même des espaces intérieurs. Il en est ainsi du baldaquin au-dessus de l'autel et à l'intérieur du sanctuaire. Un autre bâtiment classique de l'architecture moderne, que l'on ne considère pas en général comme typique, illustre mon point de vue. La Villa Savoie (12) avec ses ouvertures murales qui, d'une manière significative, sont des trous plutôt que des interruptions, limite strictement le plan libre à la direction verticale. Mais outre le caractère d'enclos, il y a une conséquence spatiale qui l'oppose au Johnson Wax Building. Son extérieur rigide, presque carré renferme une configuration intérieure compliquée que l'on aperçoit par des ouvertures et des saillies supérieures. A ce propos, l'intensité de l'aspect général de la Villa Savoie, de l'intérieur et de l'extérieur, donne l'exemple d'une solution en contrepoint : une enveloppe stricte partiellement brisée et un intérieur complexe partiellement révélé. Son ordre intérieur est adapté aux multiples fonctions d'une maison, aux dimensions domestiques, et au mystère partiel inhérent à l'idée de vie privée. Son ordre extérieur exprime l'unité de « l'idée de la maison » à une échelle raisonnable appropriée au champ qu'elle domine et virtuellement à la ville dont elle fera un jour partie.

Un bâtiment peut inclure des objets dans des objets aussi bien que des volumes dans des volumes. Et le contenu peut contredire le contenant par des procédés autres que ceux de la Villa Savoie. Les périmètres circulaires du mur porteur et de la colonnade du Théâtre Maritime d'Hadrien à Tivoli (138) sont une autre version de la même conception de l'espace. Wright lui-même, bien que ce ne soit que suggéré, enferme la complexité intérieure de l'Evans House (139) dans une enveloppe rectangulaire marquée par les piliers d'angle sculptés. A l'opposé les complications du plan du château typiquement élisabéthain, Barrington Court (13), sont cachées, sans doute excessivement, et exprimées uniquement incidemment, ou même pas du tout sur ses façades sévères et symétriques. Dans un autre plan symétrique élisabéthain la cuisine équilibre la chapelle. La complexité révélée par la coupe du château de Marly (140 et 141) est une concession qui permet l'éclairage et le confort intérieurs. Parce qu'elle n'est pas exprimée à l'extérieur, la luminosité intérieure est surprenante. Les murs de Fuga enveloppent S. Maria Maggiore (142), et les murs de Soane enferment la complexité irrégulière des cours et des corps de bâtiment de la Banque d'Angleterre (143), de la même manière et pour des raisons similaires : ils unifient, à l'extérieur et par rapport à l'échelle de la ville, les volumes complexes et contradictoires des chapelles ou des chambres fortes qui ont évolué avec le temps. Des complexités très denses peuvent être exclues aussi

142

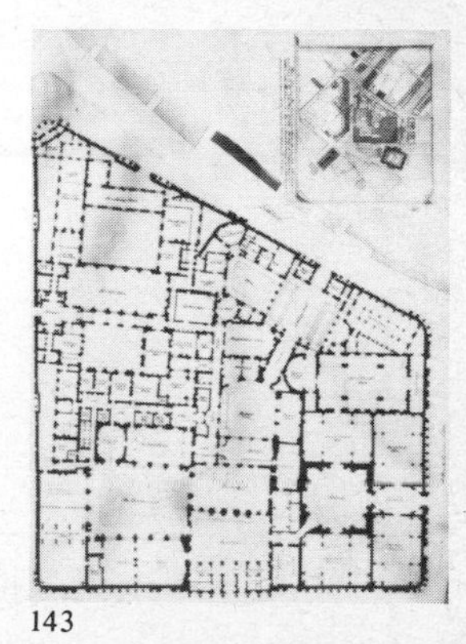

143

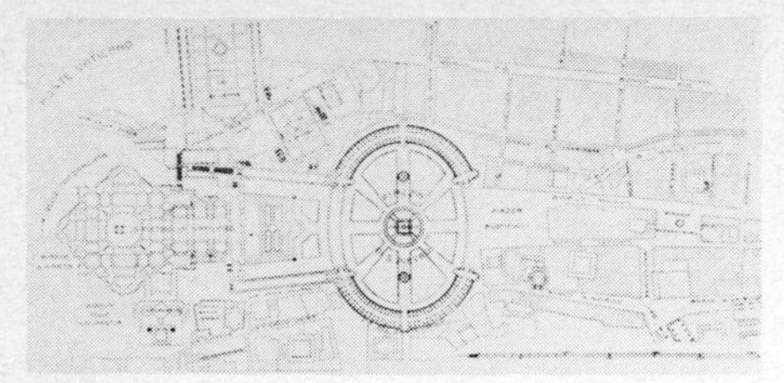

144

145

146

147

148

149

150

151

152

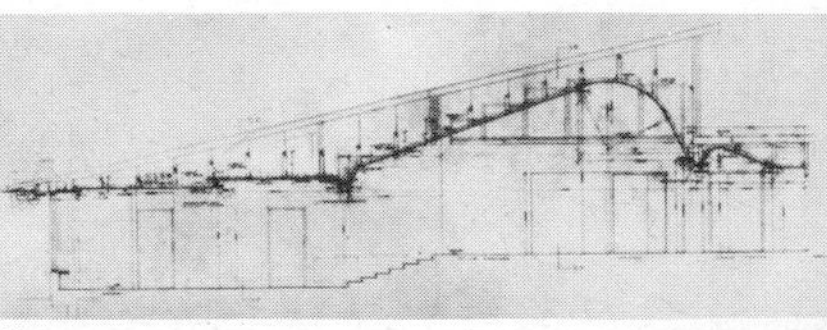

153

bien qu'inclues. Les colonnades de Saint Pierre (144) et de la Piazza del Plebiscito à Naples (145) rejettent chacune de leur côté les labyrinthes du Palais du Vatican et ceux de la ville afin de conserver l'unité de la place qu'elles entourent.

Quelquefois la contradiction ne se trouve pas entre l'intérieur et l'extérieur mais entre le sommet et la base du bâtiment. La coupole arrondie et le tambour sur pendentifs des églises baroques débordent les parapets de leur base rectangulaire. A propos du gratte-ciel P.S.F.S. j'ai déjà mentionné la base arrondie, le fût rectangulaire, et les angles du sommet en tant que manifestation des fonctions multiples contenues à l'intérieur du bâtiment (41). Dans le Castel Sant'Angelo (146) les éléments rectangulaires émergent d'une base circulaire. Les toits romantiques de la Watts-Sherman House de Richardson (147) et les trulli à plusieurs coupoles des Pouilles (148) contredisent le rigoureux périmètre extérieur des murs qui les soutiennent. De l'extérieur un volume dans un volume peut devenir un objet derrière un objet. On perçoit l'énorme lanterneau de Wollaton Hall (149) comme un objet de grandes dimensions derrière un objet de dimensions plus petites. A S. Maria della Pace (150) la superposition des enceintes qui sont successivement convexes, à angle droit, puis concaves, crée un contraste d'objets les uns derrière les autres afin d'effectuer une transition entre l'extérieur et l'intérieur.

L'essentiel du plan de la Villa Savoie de Le Corbusier donne l'exemple d'une complexité dense contenue à l'intérieur d'une structure rigide. Certains plans de ses autres maisons des années 20 suggèrent qu'on est parti de la structure pour travailler ensuite vers l'intérieur. On trouve des faits similaires dans l'élévation de son High Court Building à Chandigarh (151). Comme la partie arrière de la Low House de McKim, Mead et White (72), mais à une autre échelle, elle contient une complexité derrière une façade rigide. La stricte enveloppe du toit et des murs englobe des volumes complexes et des niveaux multiples qu'expriment les diverses positions des fenêtres. D'une manière similaire, l'unique pignon servant d'abri de la maison suisse de type Emmental (152), et le toit à une pente de la Maison Carrée d'Aalto (153), contredisent les volumes intérieurs qu'ils recouvrent. La contradiction entre l'enveloppe rigoureuse — avec son fronton — et la position irrégulière des fenêtres provoque des tensions similaires sur la façade arrière de Mount Vernon (71). Sur la façade latérale de Easton Neston de Hawksmoor (154), la position des fenêtres en contradiction avec l'ordre horizontal, est dictée par des exigences particulières de l'intérieur. L'enchevêtrement limité par un cadre rigide, a été une idée pénétrante. On en trouve des exemples aussi divers qu'une gravure de Piranese (155) et la composition d'une niche de Michel-Ange (156). Des exemples plus purs et plus expressifs en sont les façades

154

155

de l'église paroissiale de Lampa, au Pérou (157), et l'entrée de la Chapelle de Fontainebleau (158), dont les limites subissent une énorme pression de la part des éléments qu'elles contiennent, comme dans une peinture maniériste.

Le maintien à l'intérieur de limites et l'enchevêtrement ont aussi été des caractéristiques de la ville. Les fortifications du mur d'enceinte pour la protection militaire et la ceinture de verdure pour la protection civile sont des exemples de ce phénomène. La complexité contenue peut être une méthode valable pour venir à bout du chaos urbain et de l'interminable extension le long des routes; en utilisant d'une manière créatrice le découpage en zones et des caractéristiques architecturales positives, il devient possible de concentrer les enchevêtrements de banlieues et de cimetières de voitures, réels et imaginaires. Et comme dans la sculpture de John Chamberlain faite de voitures comprimées ou dans les photographies prises à travers des lentilles téléscopiques dans « God's Own Junkyard » de Blake, une sorte d'unité ironiquement contraignante en découlerait.

On peut manifester la contradiction entre l'intérieur et l'extérieur en doublant la paroi, ce qui crée un volume supplémentaire entre cette doublure et le mur extérieur. Les diagrammes de la Fig. 159 montrent que de telles doublures placés entre le volume intérieur et le volume extérieur peuvent avoir des formes, des positions, des tracés et des dimensions plus ou moins contradictoires. Le diagramme (159 a) en montre le modèle le plus simple qui est exactement parallèle au contour. Dans ce cas une différence de matériau, par exemple des lambris, crée la contradiction. Les mosaïques byzantines à l'intérieur de la chapelle de Galla Placidia sont un revêtement lié à la paroi mais qui oppose au terne appareil de briques de l'extérieur la richesse de son matériau, de son dessin et de ses couleurs. Les pilastres, les architraves et les arcs des murs Renaissance, comme la façade de Bramante dans la Cour du Belvédère du Vatican, peuvent suggérer une doublure, alors que la colonnade de la loggia de la façade Sud du Louvre crée une stratification de l'espace. Les colonnettes à l'intérieur de la cathédrale de Rouen (160) ou les pilastres non-engagés du vestibule de Syon House (161) représentent aussi des sortes de doublures plus indépendantes, mais leur subtile contradiction avec l'extérieur dépend plus de la dimension que de la forme ou du matériau. Le revêtement devient à moitié indépendant dans la chambre à coucher tendue de rideaux que Percier et Fontaine ont imaginée à la Malmaison et qui est dérivée de la tente militaire romaine. La série progressive des portes symboliques de Karnak (162) forme une succession de strates appartenant, en deux dimensions, au même genre que les nids, les œufs qui s'emboîtent, ou les poupées russes. Ces portes à l'intérieur de portes comme les portes à encadrements multiples des porches gothiques, diffèrent des

156

157

158

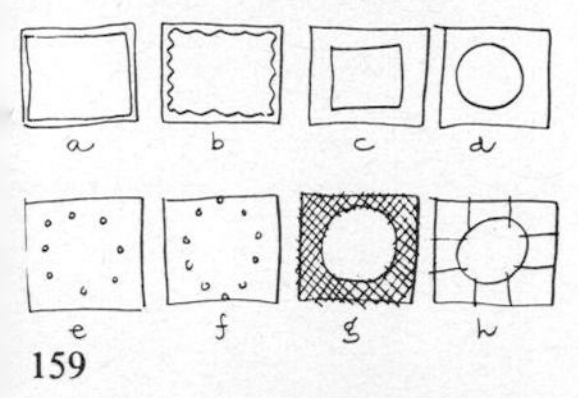

159

160

161

162

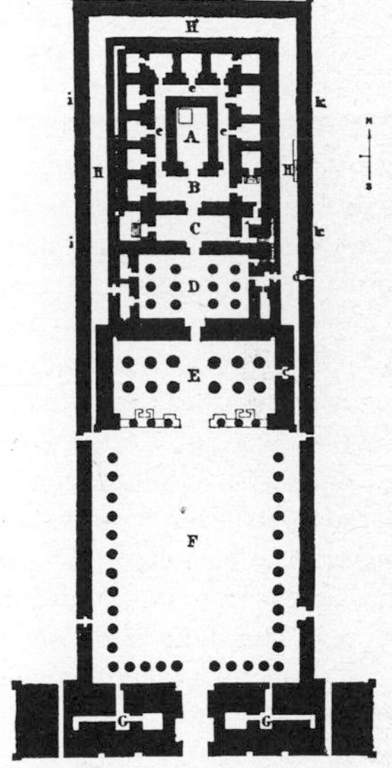

163

164

ouvertures baroques à frontons multiples qui juxtaposent des formes triangulaires et des segments de cercle.

Le dégradé d'une série d'objets dans des objets ou d'enclos dans des enclos, qui caractérise le temple égyptien, transporte au dehors, dans l'espace, le motif des portes à encadrements multiples de Karnak. Les séries de murs d'Edfu (163 et 164) forment des couches successives indépendantes. Les couches extérieures rehaussent les espaces clos intérieurs en leur conférant le caractère de volume protégé et mystérieux. Ils ressemblent aux séries de fortifications des châteaux médiévaux, ou au nid spatial dans lequel Le Bernin a enfermé son petit Panthéon, S. Maria dell'Assunzione à Arricia (165).

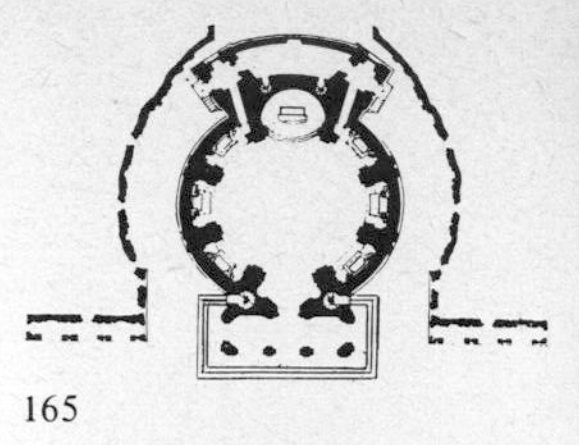
165

On trouve les mêmes tensions entre les pointes superposées des stalles entourant le chœur et les murs extérieurs dans la cathédrade d'Albi (166) et dans d'autres cathédrales de Catalogne et du Languedoc. Les multiples coupoles du style baroque se présentent en coupe comme des strates parallèles mais indépendantes. Par leurs oculi centraux on peut voir des espaces au delà des espaces. Dans le projet des Asam Brothers (167), par exemple, la coupole intérieure avec son oculus masque de hautes fenêtres, ce qui crée de surprenants effets de lumière et une configuration spatiale plus complexe. Au dehors la coupole extérieure accentue l'effet d'échelle et de hauteur. Dans leur église abbatiale à Weltenburg (168) les nuages des fresques de la coupole supérieure, que l'on voit à travers l'oculus de la coupole inférieure, accentuent le sentiment de l'espace. A S. Maria de Canepanova à Pavie (169) l'effet de superposition de coupoles est plus sensible à l'extérieur qu'à l'intérieur.

166

Les multiples coupoles de la chapelle S. Cecilia de S. Carlo ai Catinari à Rome (170) sont indépendantes et ont des formes contrastées. Par l'oculus ovale de la coupole inférieure on voit un espace rectangulaire inondé de lumière contenant un groupe sculpté de quatre anges musiciens. Au-delà de cet espace, plane à son tour une lanterne ovale encore plus brillante. Soane utilise des coupoles intérieures dans des espaces carrés même dans de petits volumes comme dans la salle du petit-déjeuner de Lincold Fields Inn (171). Ses juxtapositions fantastiques de coupoles et de lanternes, de trompes et de pendentifs, et, ailleurs, d'une variété d'autres formes ornementales et portantes (35) contribuent à intensifier l'impression d'espace clos et de luminosité. Ces éléments portant-ornementaux sont quelquefois archaïques (dans un tracé presque bi-dimensionnel), mais ils produisent l'effet complexe de couches spatiales effectivement indépendantes. L'église néo-baroque d'Armando Brazini, Cuore Immaculata di Maria Santissima à Rome (172 et 173) a un plan quasi-circulaire contenant un plan en croix grecque. Le plan en croix grecque se reflète à l'extérieur dans les quatres porches à fronton marquant les extrémités de la croix. Les

167

168

171

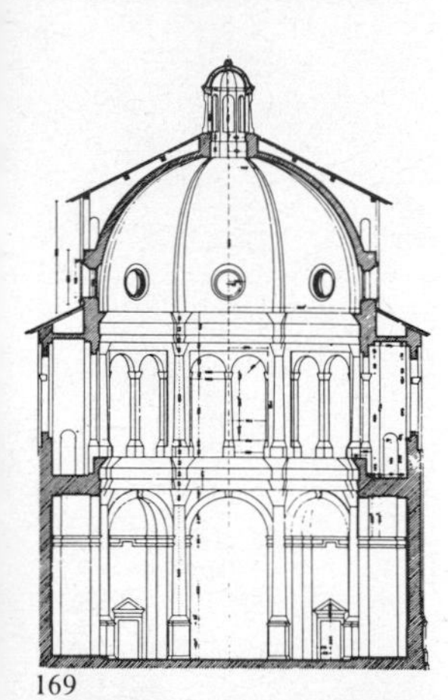
169

172

173

174

175

176

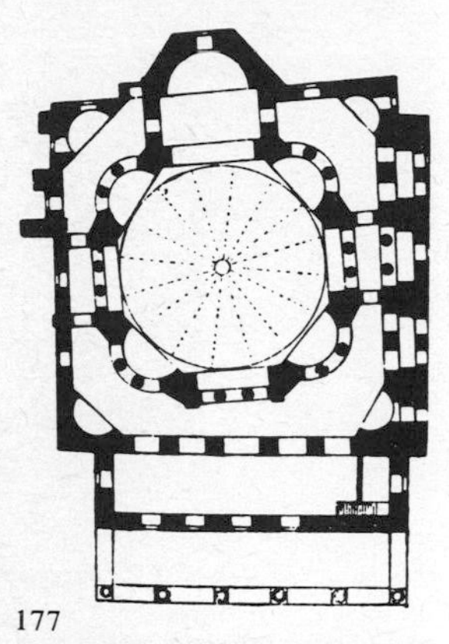

177

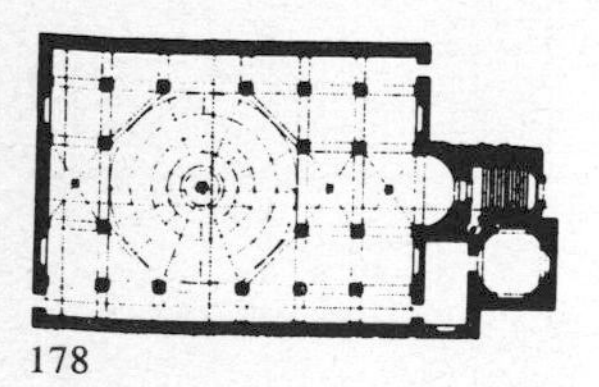

178

179

180

181

182

183

porches, eux, sont convexes pour s'ajuster au plan circulaire. Dans l'architecture moderne Johnson a presque été le seul à mettre en valeur l'enclos multiple en plan et en coupe. Le baldaquin à l'intérieur de sa pension de famille de New Canaan (174) et le baldaquin de Soane dans la synagogue de Port Chester (175) sont tous deux des couches intérieures. Kahn emploie des couches indépendantes à l'extérieur : il « enveloppe les bâtiments de ruines ». Dans le plan pour la Meeting House du Salk Institute for Biological Studies (107) il juxtapose des cercles dans des carrés et des carrés dans des cercles. Selon Kahn la luminosité intérieure sera atténuée par la juxtaposition d'ouvertures, de tailles et de formes contradictoires, dans des doubles parois. Kahn justifie son choix de doubles murs contradictoires par ses conséquences lumineuses plutôt que par l'effet spatial du volume intérieur. Chez Lutyens on retrouve également le motif du cercle dans un carré, dans ses cages d'escalier rondes placées à l'intérieur de pièces carrées.

Dans le vestibule de S. Croce à Gerusalemme (176) et à l'intérieur de S. S. Sergius et Bacchus (177) et de St. Stephen Walbrook (34), c'est la série des colonnes qui délimite la couche intérieure indépendante et contradictoire de l'enclos. Ces supports ainsi que les coupoles au-dessus d'eux créent à l'intérieur des rapports d'espace à espace. St. Stephen Walbrook est un espace carré contenant un espace octogonal au niveau inférieur (178). Ses arcs en forme de trompe, au niveau intermédiaire, ménagent la transition des colonnes à la coupole supérieure. De même, à Vierzehnheiligen (31) les trumeaux et les coupoles délimitent des espaces courbes à l'intérieur des murs rectangulaires et hexagonaux du périmètre. Mais les couches intérieures y sont moins indépendantes que celles de St. Stephen. En plan aussi bien qu'en coupe, la courbe touche quelquefois le mur extérieur et en devient partie prenante (179). Le plan et le profil de Neresheim en Allemagne du Sud (180) montrent que les courbes complexes du cercle intérieur s'infléchissent progressivement en se rapprochant de l'ovale extérieur. Ces relations entre les espaces sont à la fois plus complexes et plus ambiguës que celles de St. Stephen Walbrook.

Dans la chapelle Sforza de Michel-Ange à S. Maria Maggiore (181, 182) les violentes pénétrations réciproques en plan, d'un espace rectangulaire et d'un espace courbe et en coupe, des voûtes en tonnelle, des coupoles et des niches voûtées, créent des espaces stratifiés. Les juxtapositions ambiguës de ces deux sortes de formes aussi bien que le sentiment de l'intense concentration et de l'énorme dimension des espaces légèrement incurvés (qui s'étendent implicitement au-delà du pourtour actuel) donnent à l'intérieur sa force et sa tension particulière (183).

Les couches indépendantes laissent des espaces intercalaires. Mais, le rôle architectural de ces intervalles varie.

A Edfu qui est presque entièrement couverte d'espaces superposés, les espaces résiduels sont fermés et dominent le petit espace central. A St Basel (184) nous avons comme une série d'églises à l'intérieur d'une église. Le labyrinthe compliqué des espaces résiduels découle de ce que les chapelles proches l'une de l'autre sont proches du centre, et de la faible distance qui sépare leurs murs du mur extérieur. Au palais de Charles V à Grenade (185), à la Villa Farnese à Caprarola (186) et à la Villa Giulia (187) les cours sont des dominantes parce qu'elles sont grandes et que leurs formes contredisent les formes des périmètres. Elles constituent l'espace principal; les pièces du palais sont des espaces secondaires. Comme dans l'esquisse préliminaire de Kahn pour l'Unitarian Church de Rochester (188), les espaces résiduels sont fermés. Par contre, les alignements de colonnes et de piliers à SS. Sergius et Bacchus, St. Stephen Walbrook, Vierzehnheiligen et Neresheim définissent des espaces résiduels qui sont ouverts sur les espaces dominants, bien qu'ils en soient plus ou moins séparés. Au Palais Stupinigi (189) la distinction entre espaces dominants et résiduels dans le hall principal est ambiguë parce que l'espace dominant est très ouvert. En fait, le périmètre intérieur est tellement ouvert qu'il ne reste que le vestige d'un espace central interne, défini par quatre piliers et par les motifs très complexes du plafond voûté. L'oculus et les autres ouvertures complexes de la coupole intérieure de S. Chiara, à Brà (190 et 191) délimitent un espace résiduel ouvert qui ordonne l'espace et oriente la lumière. La séparation des fenêtres intérieures et extérieures dans l'Imatra Church d'Aalto (192) modifie de la même manière l'espace et la lumière. L'emploi de ce procédé est unique dans l'architecture contemporaine.

Les voûtes en bois des synagogues polonaises du dix-septième siècle (193), qui imitent la maçonnerie, créent dans la partie supérieure des doublages clos. Contrairement aux exemples précédents leur espace résiduel est fermé. Le volume plein et fermé, défini essentiellement par des contraintes spatiales extérieures et non par la forme de la structure intérieure, est presqu'inconnu en architecture moderne, l'exception étant le podium de concert d'Aalto, unique en son genre (194), fait d'une structure et d'un revêtement de bois qui orientent le son aussi bien que l'espace. Un espace résiduel inséré entre des espaces dominants, avec différents degrés d'ouverture, peut exister dans une ville comme il caractérise les forums et les autres ensembles de l'urbanisme romain. Les espaces résiduels ne sont pas inconnus dans nos villes. Je pense aux espaces ouverts sous les routes à grande circulation et aux espaces tampons qui les entourent. Au lieu de s'attacher à mettre en valeur les espaces caractéristiques de ce type nous les transformons en …rcs de stationnement ou en carrés de gazon, maigrichons … man's lands séparant l'échelle régionale de l'échelle …le.

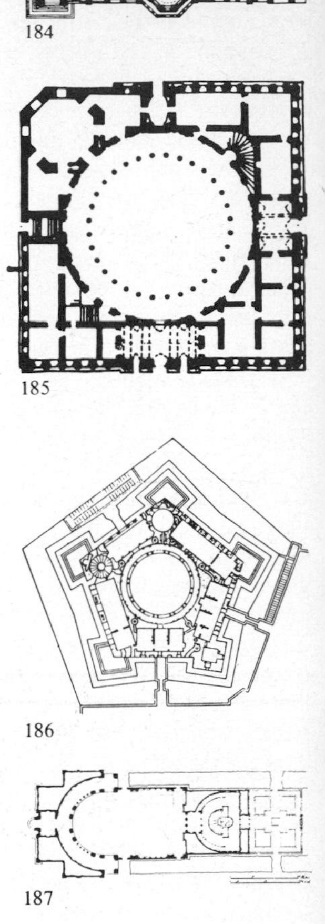
184

185

186

187

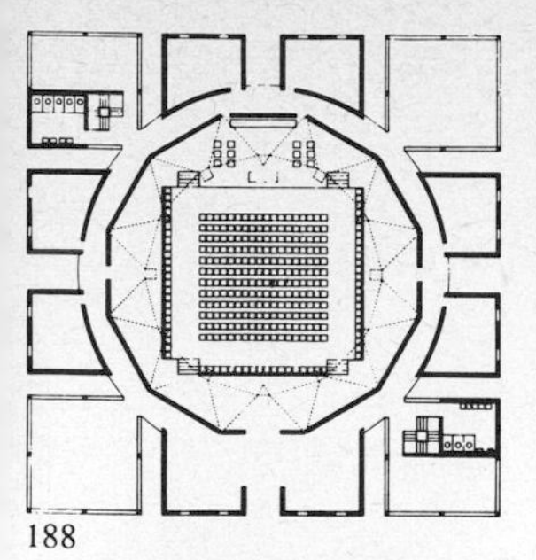
188

191

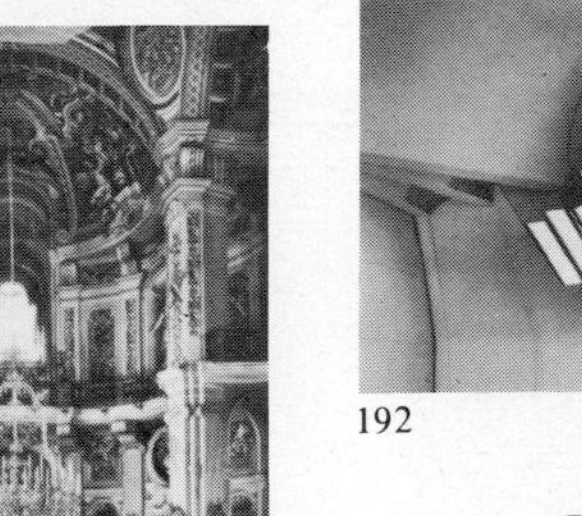
189

192

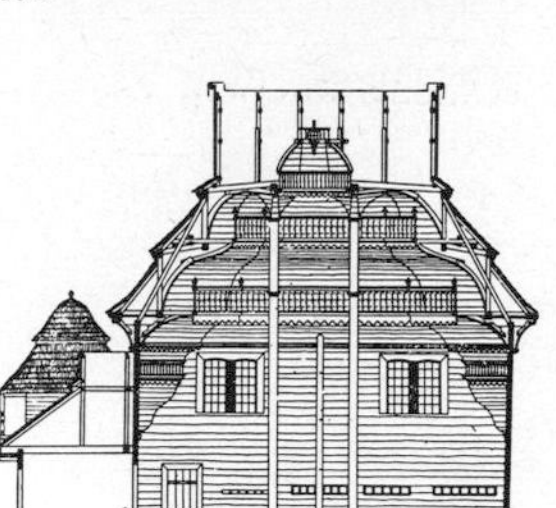
193

194

190

Un espace résiduel ouvert pourrait être appelé « volume plein ouvert ». « L'espace servant » de Kahn, qui abrite parfois l'équipement technique, et le poché des murs de l'architecture romane et baroque sont deux procédés permettant d'adapter l'extérieur à un intérieur différent. Aldo Van Eyck a dit : « L'architecture devrait être conçue comme un assemblage d'espaces intermédiaires clairement délimités. Cela n'implique pas nécessairement une transition perpétuelle ou une hésitation permanente sur le lieu et le moment. Au contraire cela signifie une rupture avec la conception contemporaine (disons la maladie) de la continuité spatiale, et avec la tendance à effacer toute articulation entre les espaces, c'est-à-dire entre l'intérieur et l'extérieur, entre un espace et un autre (entre une réalité et une autre). Au lieu de cela la transition doit être articulée en utilisant des espaces intercalaires bien définis permettant de prendre simultanément conscience de ce qui caractérise chaque côté. Dans cette optique un espace intercalaire fournit le terrain commun grâce auquel des extrêmes incompatibles peuvent encore devenir des phénomènes jumeaux » [36].

L'espace résiduel est quelquefois disgracieux. Comme les piliers massifs, il est rarement économique. Il est toujours secondaire, tourné vers quelque chose de plus important que lui. Les restrictions, les contradictions et les tensions propres à ces espaces donnent peut-être raison à Kahn lorsqu'il affirme qu'« un bâtiment devrait comprendre de mauvais espaces aussi bien que de bons espaces ».

Le volume fermé surabondant, comme les vastes labyrinthes, sont rares dans notre architecture. A part quelques exceptions importantes dans l'œuvre de Le Corbusier et de Kahn, l'architecture moderne a eu tendance à ignorer ces idées d'espaces complexes. Le « noyau de services » de Mies ou de Johnson à ses débuts n'est pas un exemple pertinent parce qu'il devient un élément passif dans un espace ouvert dominant, plutôt qu'un élément actif parallèle à un autre périmètre. L'espace intérieur contradictoire n'est pas accepté par l'architecture moderne qui exige unité et continuité de tous les espaces. De même les strates en profondeur, notamment avec des juxtapositions en contrepoint, ne satisfont pas non plus son exigence d'un rapport économique et non équivoque de la forme au matériau. Et le labyrinthe complexe à l'intérieur d'une limite rigide (qui ne soit pas une charpente transparente) contredit le dogme contemporain qui veut qu'un bâtiment se développe de l'intérieur vers l'extérieur.

Comment peut-on justifier que l'enceinte soit multiple et que l'intérieur soit différent de l'extérieur? Quand Wright rappelait son principe : « une forme organique développe sa structure à partir du contexte, comme une plante dont la [...]ssance est dictée par le sol, et dans les deux cas la [...]sance part de l'intérieur » [37], il avait une longue tradition derrière lui. D'autres Américains ont préconisé ce qui, à ce moment-là, était une chose salutaire – un cri de guerre nécessaire :

– Greenough : Au lieu d'introduire de force les fonctions de n'importe quel genre de bâtiment dans une forme générale, au lieu de choisir une forme extérieure pour le plaisir de l'œil ou par association d'idées, faisons du cœur un noyau, et avançons vers l'extérieur [38].

– Thoreau : Je sais que ce que je vois actuellement de beau en architecture s'est développé progressivement de l'intérieur vers l'extérieur, à partir des besoins et du caractère des habitants [39].

– Sullivan : (L'architecte) doit laisser un bâtiment se développer naturellement avec logique et poésie à partir de ses conditions propres [40]...

Les apparences extérieures traduisent les besoins intérieurs [41].

Même Le Corbusier a écrit : « Le plan procède du dedans au dehors; l'extérieur est le résultat d'un intérieur » [42].

Mais la comparaison de Wright avec les plantes trouve en elle-même ses limites, parce que la croissance d'une plante selon un mode particulier est conditionnée par les forces particulières qui l'entourent mais aussi par son programme génétique. D'Arcy Wentworth Thompson considérait la forme comme l'enregistrement du développement dans l'environnement. L'ordre intrinsèque rectangulaire de la structure et de l'espace des appartements d'Aalto à Brême (76 et 195) obéit à l'exigence interne d'un espace orienté vers le Sud pour la lumière, comme une fleur qui pousse vers le soleil. Mais en général, pour Wright, l'espace intérieur et l'espace extérieur de ses bâtiments toujours parfaitement isolés sont continus, et, comme il n'aimait pas la ville, l'environnement semi-urbain de ses bâtiments, spécifiquement campagnard, n'était pas aussi contraignant du point de vue spatial qu'un contexte urbain. (Le plan souple de la Robie House, pourtant, s'adapte au rétrécissement de l'arrière de son terrain en forme de coin). Cependant, je pense que Wright refusa de reconnaître que l'emplacement n'était pas favorable à l'expression directe de l'intérieur. Le Musée Guggenheim est une anomalie dans la Cinquième Avenue. Mais on peut penser que le Johnson Wax Building est un geste de dénégation envers son environnement urbain, qu'il domine et rejette.

195

Les contradictions et les conflits entre les forces extérieures et intérieures existent aussi en dehors de l'architecture. Kepes écrit : « Tout phénomène – un objet matériel, une forme organique, une sensation, une pensée, la vie de notre groupe – doit sa forme et son caractère à un combat entre des tendances opposées; l'aspect physique est le produit du combat entre la constitution originelle et l'environnement ». [43] Ces interactions ont toujours été très vives dans les zones denses de notre environnement urbain. Le Morris Store de

Wright (196 et 197) est une réalisation pour laquelle il se sentit assez sûr de lui pour innover. Ses fortes contradictions entre l'intérieur et l'extérieur – entre les fonctions particulières, privées, et les fonctions générales, publiques – en font un bâtiment urbain traditionnel rare dans l'architecture moderne. Comme le dit Aldo Van Eyck : « Faire un plan à quelque échelle que ce soit devrait consister, pour préparer la scène pourrait-on dire, à bâtir une structure qui satisfasse à la fois l'individuel et le collectif sans privilégier arbitrairement l'un aux dépens de l'autre » [44].

Une contradiction, ou tout au moins un contraste, entre l'intérieur et l'extérieur est une caractéristique essentielle de l'architecture urbaine, mais ce n'est pas seulement un phénomène urbain. A part la Villa Savoie et des exemples évidents comme les temples domestiques de la Renaissance grecque, qui étaient, par utilité, bourrés de séries de cellules, on trouvait dans la villa de la Renaissance, comme Easton Neston de Hawksmoor ou Westover en Virginie (198), des façades symétriques collées sur des plans dissymétriques.

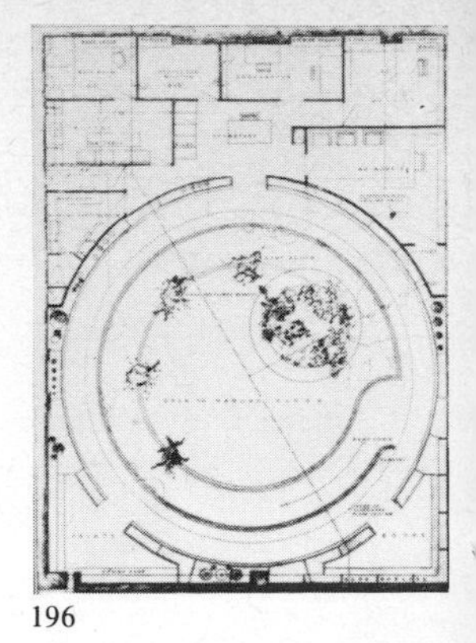

196

On peut observer l'interaction entre les exigences spatiales intérieures et extérieures dans les exemples suivants où les façades avant et arrière se contredisent. Le schéma (199) illustre six cas généraux. La façade concave de l'église baroque est adaptée à des exigences spatiales qui sont spécifiquement différentes à l'intérieur et à l'extérieur. L'extérieur concave, qui est en désaccord avec la fonction essentiellement concave du volume intérieur, répond à un besoin extérieur contradictoire qui est la nécessité d'un élargissement de la rue marquant la pause. Sur la façade du bâtiment l'espace extérieur est plus vaste. Le plan de la partie de l'église qui est derrière la façade a été dessiné de l'intérieur vers l'extérieur, mais pour la façade, on est parti de l'extérieur vers l'intérieur. Du volume superflu né de cette contradiction on a fait un massif de maçonnerie. Sur les plans des deux pavillons de Fischer von Erlach (200) on peut voir, par les courbes concaves, que l'espace intérieur est dominant dans le premier, et, par les courbes convexes, que l'espace extérieur est dominant dans le second. La façade concave des Grey Walls de Lutyens est ajustée à une cour d'honneur dont la courbure est définie par le rayon de braquage d'une voiture, et qui clôt la perspective d'arrivée. Les Grey Walls sont une Piazza S. Ignazio campagnarde (201). L'extérieur concave de l'agence d'Aalto à Munkkiniemi (202) modèle un amphithéâtre en plein air. Dans ces exemples on trouve des espaces résiduels à l'intérieur.

La Karlskirche de Fischer von Erlach (42), déjà citée, est une combinaison d'une petite église ovale avec une grande façade rectangulaire qui s'ajuste à son cadre urbain particuli[...] par l'intermédiaire d'une fausse façade plutôt que grâce [...]n poché. La façade concave du pavillon du jardin de [...]adian Academy à Rome (203) présente une contradic-

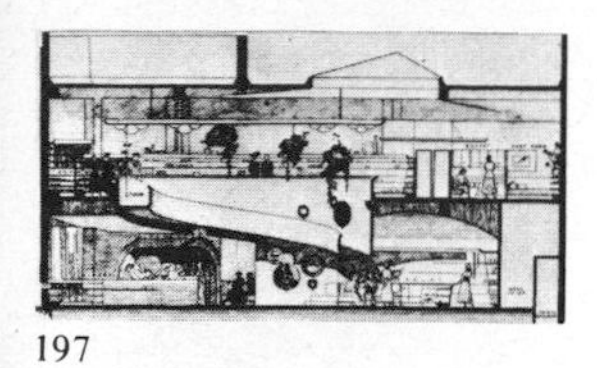
197

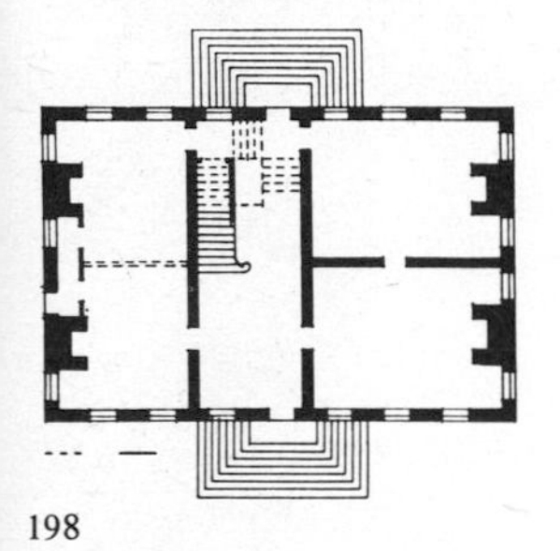
198

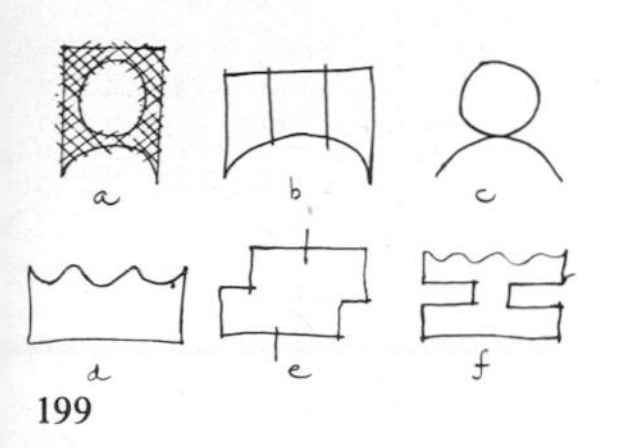

199

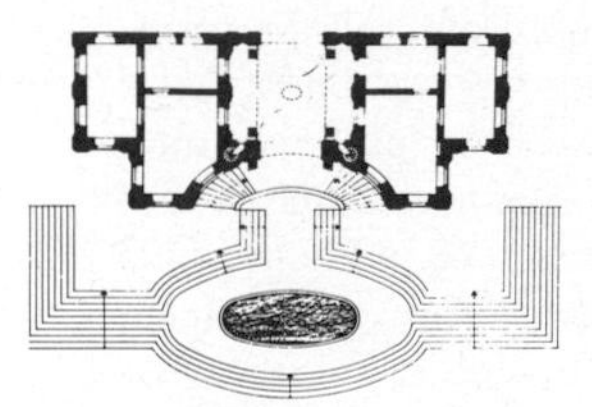

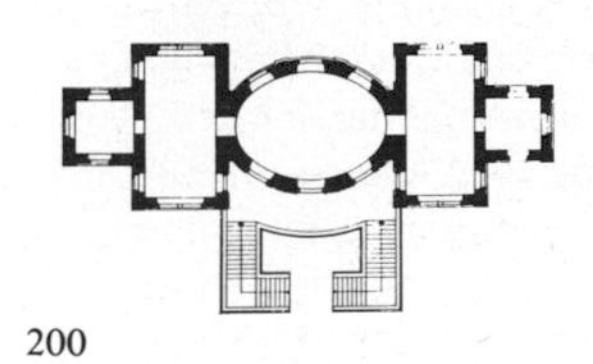
200

201

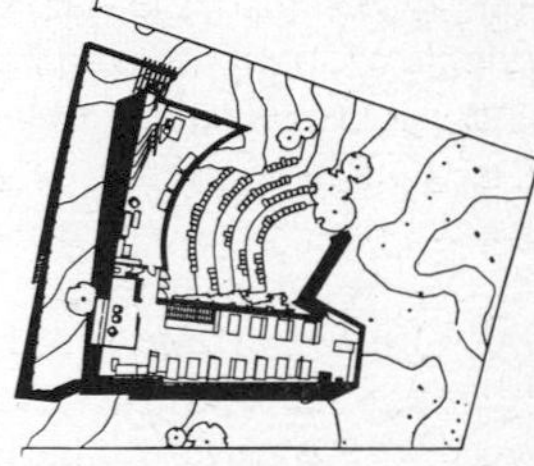
202

tion encore plus violente avec la villa à l'arrière-plan. On a donné à la façade sa taille et sa forme particulière afin qu'elle termine le jardin en terrasses. Dans le Sanctuaire de Saronno (204) on trouve entre la façade et le reste de l'édifice une contradiction aussi bien dans le style que dans les dimensions.

203

204

Dans l'église baroque, il y a une différence entre l'intérieur et l'extérieur, mais aussi entre l'arrière du bâtiment et la façade. L'architecture américaine, et spécialement l'architecture moderne, avec son antipathie pour la « fausse façade » a privilégié le bâtiment libre et indépendant même au cœur de la ville — la norme est aux bâtiments qui sont des édifices isolés, plutôt qu'à ceux qui renforcent la continuité de la rue. C'est ce que Johnson a appelé la tradition américaine de « l'architecture du plouf ». Le dortoir d'Aalto au M.I.T (205) est une exception. La façade incurvée le long de la rivière, avec son percement et ses matériaux, contredit la forme rectangulaire et les autres caractéristiques de l'arrière du bâtiment. A l'intérieur comme à l'extérieur les contraintes d'utilisation, d'espace et de structure changent d'une façade à l'autre du bâtiment. De même le bâtiment de la Philadelphia Saving Fund Society, qui est une tour, présente quatre faces différentes pour tenir compte de sa situation spécifique dans la ville : murs mitoyens, façades de rues, façades avant ou arrière, coins de rue : ici le bâtiment indépendant fait partie d'un ensemble spatial plus grand et extérieur à lui. Mais dans le bâtiment isolé typique de l'architecture moderne, à l'exception de certains traitements de surface, et d'écrans pare-soleil destinés à atténuer l'aspect d'enceinte close dans l'espace, et à mettre en évidence les différentes orientations, les façades avant et arrière sont rarement différenciées pour des motifs externes d'ordre spatial. Au dix-huitième siècle c'était également la règle. L'ingénieux hôtel à axe double de Paris (206), même dans son emplacement primitif plus ouvert, tenait compte de la différence entre les espaces extérieurs côté cour et côté jardin. Pour la même raison Easton Neston de Hawksmoor (154) présente une nette divergence entre la façade et les côtés. L'élévation, discontinue du côté jardin, le long du grand axe, tient compte des différents espaces et niveaux à l'intérieur et des nécessités d'échelle à l'extérieur. L'élévation latérale du Palais Strozzi (207) était bâtie en prévision de la ruelle dans laquelle elle aurait due être cachée.

205

Dresser un plan en partant de l'extérieur vers l'intérieur, aussi bien que de l'intérieur vers l'extérieur, crée des tensions inévitables qui aident à faire de l'architecture. Puisque l'intérieur est différent de l'extérieur, le mur — ligne de partage — devient une épreuve pour l'architecte. L'architec-t[illegible]e apparaît à l'intersection des forces intérieures et exté-[illegible]res d'utilisation et d'espace. Les forces internes et les [illegible]s de l'environnement sont à la fois générales et particulières, génériques et occasionnelles. L'architecture, comme le mur qui sépare l'intérieur de l'extérieur, devient à la fois l'expression dans l'espace et le théâtre de cet affrontement. Et par la mise en évidence de la différence entre l'intérieur et l'extérieur l'architecture débouche une fois encore sur l'urbanisme.

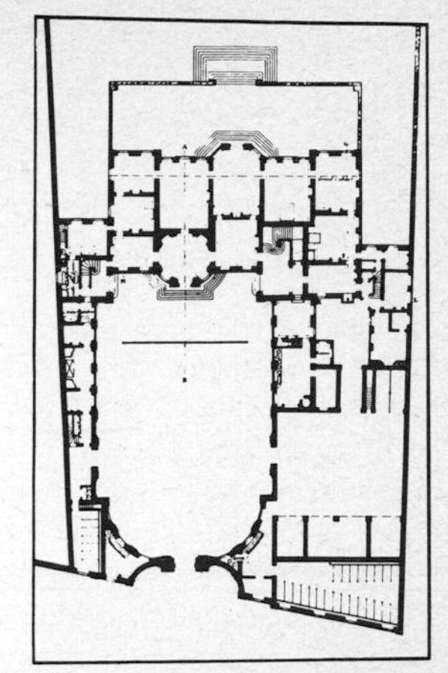

206

207

208

10. *La dure obligation du tout*

... Tolède (Ohio) était très belle (*)

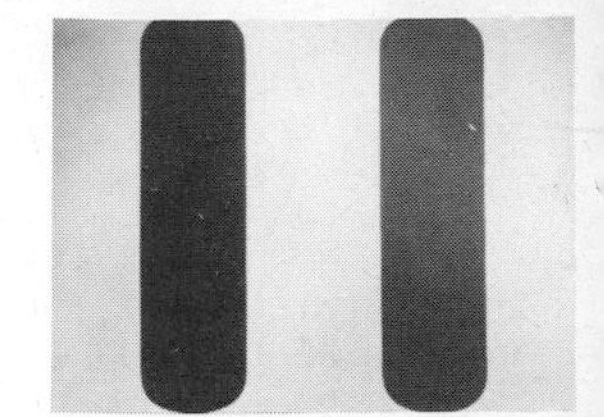
209

Une architecture fondée sur la complexité et l'ajustement ne renonce pas au tout. J'attribue en effet une importance particulière à la création d'un tout parce que ce tout est difficile à réaliser. Et le but que je privilégie est celui de l'unité plutôt que celui de la simplicité dans un art « dont... la vérité (est) dans sa totalité » [45]. Je parle de la difficile unité obtenue par inclusion et non de la facile unité obtenue par exclusion. La Psychologie de la Forme considère qu'un tout perceptible est le résultat, et dépasse même le résultat, de la somme de ses parties. Un tout dépend de la position, du nombre et des caractéristiques propres de ses parties. Herbert A. Simon a déclaré qu'un système complexe est « un grand nombre de parties qui agissent les unes sur les autres selon des voies multiples » [46]. La difficulté d'aboutir à un tout dans une architecture de complexités et de contradictions est due à l'insertion d'une multitude d'éléments divers dont les relations sont incompatibles ou qui font partie des catégories dont la perception est la plus ardue.

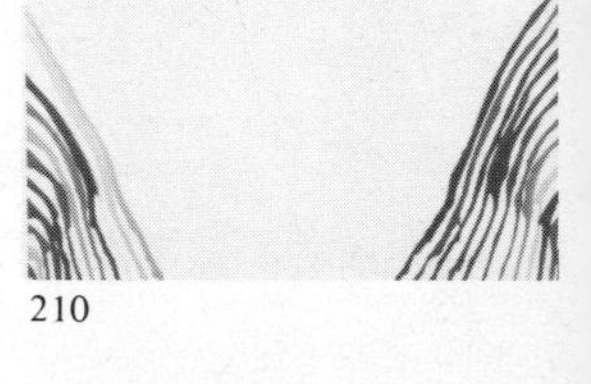
210

Pour ce qui est de la position des parties, par exemple, une telle architecture préfère les rythmes complexes et en contrepoint aux rythmes simples et uniques. Le « tout difficile » peut aussi bien comprendre des orientations diverses. En ce qui concerne le nombre des parties d'un tout, les deux extrêmes — une partie unique et une multitude de parties — sont les plus faciles à lire comme des touts : la partie unique est elle-même une unité et l'unité d'un ensemble multiple se lit à travers des parties qui ont tendance à changer d'échelle et à être perçues comme une trame ou une texture générale. Un autre tout facile à lire est la trinité : en architecture trois est le nombre le plus courant des parties qui entrent dans la composition d'une unité monumentale.

211

Mais une architecture de complexités et de contradictions englobe aussi des parties en nombre incommode : les doublets, et les différents degrés de multiplicité. Si le programme ou la structure impose une combinaison de deux éléments à l'intérieur d'une des différentes dimensions d'un bâtiment, nous avons une architecture qui exploite la dualité et la résout plus ou moins au sein d'une totalité. Notre architecture

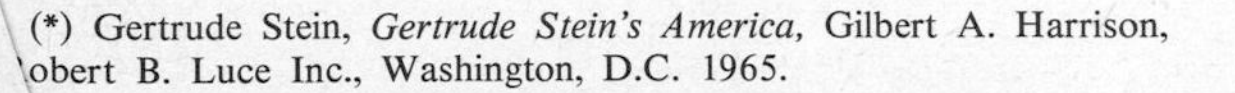
(*) Gertrude Stein, *Gertrude Stein's America,* Gilbert A. Harrison, Robert B. Luce Inc., Washington, D.C. 1965.

récente a supprimé les dualités. Le relâchement de la composition d'ensemble que, juste après la deuxième guerre mondiale, certains architectes ont utilisée dans le « plan binucléaire », n'était qu'une exception partielle à cette règle. Mais à la tendance qui nous pousse à réformer le programme et à détruire la composition afin de camoufler la dualité s'oppose une tradition de dualités acceptées et plus ou moins résolues dans des bâtiments et des projets de toutes dimensions : des portails gothiques et des fenêtres Renaissance à l'ensemble des pavillons de Wren à Greenwich Hospital en passant par les façades maniéristes du seizième siècle. En peinture la tradition de la dualité est restée continue : par exemple dans les compositions de la Vierge à l'Enfant et de l'Annonciation, dans les énigmatiques compositions maniéristes comme la« Flagellation » de Piero della Francesca (208); et dans les œuvres récentes d'Ellsworth Kelly (209) de Morris Louis (210) et d'autres.

212

La Farmers' and Merchants' Union Bank de Sullivan à Colombus dans le Wisconsin (211) est un bâtiment exceptionnel dans notre architecture récente. Le plan reflète le volume intérieur coupé en deux qui répartit les clients et les employés de chaque côté du comptoir perpendiculaire à la façade. A l'extérieur, la porte et la fenêtre qui sont symétriques reflètent cette dualité, elles sont elles-mêmes coupées en deux par les hampes du dessus. Mais à leur tour ces hampes divisent le linteau unique en trois parties, avec un panneau central dominant. L'arc au-dessus du linteau tend à renforcer la dualité parce qu'il prend naissance au centre d'un panneau inférieur, mais, d'un autre côté, son unité et sa taille dominante résolvent la dualité créée par la fenêtre et la porte. La façade est composée d'un jeu de différents nombres de parties. Les éléments simples aussi bien que ceux qui sont divisés en deux ou trois sont également dominants — mais la façade dans son ensemble donne une impression d'unité.

213

La Psychologie de la Forme montre aussi que la nature des parties, tout autant que leur nombre et leur emplacement, influe sur notre perception d'un ensemble; elle a aussi établi une autre distinction : il existe différents degrés de totalité. Des parties peuvent plus ou moins former des ensembles par elles-mêmes. C'est-à-dire qu'à des degrés variables elles peuvent être des fragments d'un ensemble plus grand. Les propriétés d'une partie peuvent être plus ou moins articulées; les propriétés du tout peuvent être plus ou moins accentuées. Dans les compositions complexes, il existe une exigence spéciale de la totalité qui veut que l'on mette les parties en valeur; Trystan Edwards désigne cela du terme d'« inflexion »[47].

214

En architecture on parle d'inflexion lorsque la totalité découle de l'utilisation de la nature de chaque partie, et non de leurs emplacements ou de leur nombre. En s'infléchissant vers quelque chose d'autre en dehors d'elles-mêmes les parties

215

216

217

218

219

220

incluent leurs propres liaisons avec les autres parties : des parties infléchies sont mieux intégrées au tout que des parties non infléchies. L'inflexion permet de distinguer des parties différentes tout en impliquant une continuité. Elle impose l'art d'utiliser le fragment. Un fragment valable est économique car il créé richesse et signification au-delà de lui même. On peut aussi se servir de l'inflexion pour obtenir un effet de suspense, ce qui est possible dans de grandes séquences complexes. Par opposition à l'élément à double-fonction, l'élément infléchi peut être appelé élément à fonction partielle. Il est perçu comme dépendant de quelque chose qui lui est extérieur et vers lequel il est infléchi. C'est une forme orientée correspondant à l'espace orienté.

L'intérieur de l'Eglise de la Madonna del Calcinaio à Cartonna (137) est composé d'un nombre limité d'éléments non infléchis. Les fenêtres et les niches (212), les pilastres et les frontons, et les éléments articulés de l'autel constituent des ensembles indépendants qui se suffisent à eux-mêmes et dont la forme et la position sont symétriques. Ils s'ajoutent à un ensemble plus grand. L'intérieur de l'église des pélerins à Birnau en Bavière (213) contient, elle, diverses inflexions orientées vers l'autel. Les courbes complexes de la voûte et des arcs, et même les chapiteaux tourmentés des pilastres, sont infléchis vers ce centre. Les statues et la multitude d'éléments partiels des autels latéraux (214) sont des fragments infléchis, de forme asymétrique mais occupant des positions symétriques, qui s'intègrent à la symétrie de l'ensemble. Cette subordination des parties correspond à ce que Wölfflin a appelé « l'unité unifiée » du style baroque et qu'il oppose à « l'unité multiple » de la Renaissance.

La comparaison des façades du Blenheim Palace (215) et de Holkham Hall (216) illustre l'utilisation de l'inflexion à l'extérieur. A Holkham Hall on a obtenu un ensemble très ample en additionnant des ensembles similaires qui sont toujours indépendants : chaque travée est un pavillon à fronton qui, isolé, constituerait un bâtiment complet – Holkham Hall pourrait presque être une suite de trois bâtiments. Blenheim obtient un ensemble complexe par des fragments séparés mais infléchis. Les travées extrêmes de la partie centrale, prises isolément, sont des dualités incomplètes par elles-mêmes. Mais par rapport à l'ensemble elles sont des extrémités infléchies vers le pavillon central et renforcent le centre à fronton de toute la composition. Les trumeaux aux angles du porche et les frontons brisés au-dessus d'eux sont aussi des extrémités infléchies qui pareillement renforcent le centre. Les travées extrêmes de cette énorme façade forment des pavillons non infléchis. Ils reflètent peut-être l'indépendance relative des ailes affectées à la cuisine et aux écuries. Vanbrugh, en créant une puissante unité dans une façade si longue et si variée bien que symétrique, a suivi la méthode traditionnelle de l'époque de Jacques 1er au siècle précédent :

à Aston Hall (217) la façade des ailes de l'avant-cour, les tours, les frontons à parapets, et les fenêtres ont des positions et/ou des formes infléchies vers le centre de cette façade.

Les configurations variées des ailes et des fenêtres, des toits et des ornements, de l'orphelinat du Bon Pasteur près de Rome (218, 219 et 220) sont une débauche d'inflexions dont la grande portée rappelle les dimensions de Blenheim. Armando Brazini en créant cet ensemble néo-baroque (qui surprenait en 1940 et dont l'utilisation comme orphelinat pour petites filles fut largement contestée) ordonna d'une manière étonnante une multitude de parties variées en un tout (malgré la difficulté). A tous les niveaux c'est une succession d'inflexions, à l'intérieur d'autres inflexions, dirigées tour à tour vers des centres différents, vers la petite façade frontale, ou vers le petit dôme déprimé près du centre de la composition, avec sa coupole exceptionnellement grande. Quand on est assez près pour voir un petit élément infléchi, on est parfois obligé de tourner de presque 180 degrés pour apercevoir sa contrepartie à une grande distance. Un élément de suspense apparaît quand on se déplace autour de l'énorme bâtiment. On perçoit des éléments qui sont reliés par inflexion à des éléments qu'on a tantôt déjà, tantôt pas encore vus, comme le déroulement d'une symphonie. En tant que fragment en plan et en élévation, la composition asymétrique de chaque aile est pétrie de tensions et d'implications reliées à la symétrie de l'ensemble.

A l'échelle de la ville, l'inflexion peut découler de l'arrangement d'éléments qui ne sont pas infléchis par eux-mêmes. Sur la Piazza del Popolo (221) les coupoles des deux églises jumelles font de chaque édifice un ensemble isolé, mais leurs tours uniques, symétriques l'une par rapport à l'autre, deviennent infléchies à cause de leur position asymétrique sur chaque église. Dans le contexte de la place, chaque édifice est un fragment d'un ensemble plus grand, et une partie de la porte d'entrée du Corso. A une échelle plus réduite, dans la Villa Zeno de Palladio (222) l'emplacement asymétrique par rapport au pavillon des arcades symétriques l'une de l'autre infléchissent vers le centre les pavillons des extrémités, renforçant ainsi la symétrie de toute la composition. Cette sorte d'inflexion d'un ornement asymétrique à l'intérieur d'un ensemble symétrique est un motif dominant dans l'architecture Rococo. Par exemple sur les autels latéraux à Birnau (214), et sur les paires d'appliques caractéristiques (223), ou les marmousets, les portes ou d'autres éléments, l'inflexion de la rocaille fait partie d'une asymétrie à l'intérieur d'une symétrie plus vaste qui exagère l'unité mais crée une tension dans l'ensemble.

L'orientation est un procédé d'inflexion dans la Villa Aldobrandini (224). Sa façade s'articule par l'addition d'éléments ou de travées, mais les pentes isolées des frontons brisés des travées d'extrémité tendent à orienter les

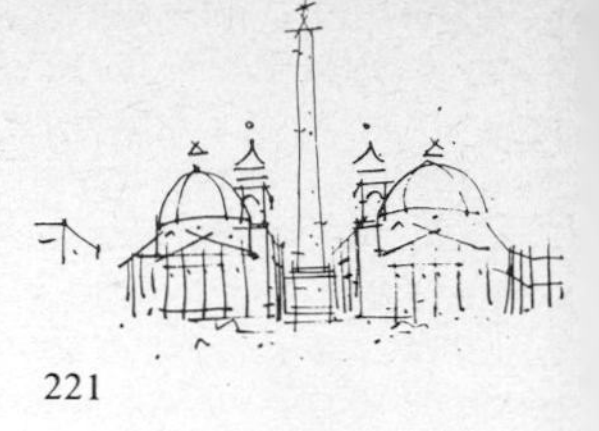
221

222

223

224

extrémités vers le centre et créent l'unité de cette façade majestueuse. Sur le plan de Monticello (225) on voit que les murs biais de clôture infléchissent les extrémités vers le foyer central. A Sienne la distorsion de sa façade infléchit le Palazzo Publico (226) vers la place qu'il domine. Ici la distorsion sert à renforcer l'ensemble et non à le briser, comme dans le cas de la contradiction adaptée. Les détails baroques, tels que les couples de pilastres encadrant la dernière travée d'une façade ordonnancée à pilastres, deviennent des procédés d'inflexion car ils introduisent une variation de rythme dans le but de conclure une série. De telles méthodes d'inflexion sont largement utilisées pour renforcer l'unité d'ensemble — et comme le caractère monumental exige une puissante expression d'unité en même temps que des dimensions particulières, l'inflexion est également un procédé pour atteindre ce caractère monumental.

L'inflexion s'adapte aussi bien à l'ensemble, toujours problématique, constitué de deux éléments qu'à un ensemble complexe. C'est un moyen qui permet de résoudre la dualité. Les tours infléchies des églises jumelles de la Piazza del Popolo résolvent la dualité car elles impliquent que le centre de la composition toute entière est situé dans l'espace médian du Corso. Au Royal Hospital de Wren à Greenwich (227) l'inflexion des coupoles par leur position asymétrique résout d'une manière similaire la dualité des masses énormes flanquant la Queen's House. De plus leur inflexion accentue le caractère central et l'importance de ce minuscule bâtiment. D'autre part les dualités non résolues des deux ailes qui surplombent le fleuve renforcent, par leur propre discordance contradictoire, l'unité créeée par l'axe central.

Le chevet des églises françaises s'oppose à la clôture rectangulaire du chœur des églises gothiques anglaises parce qu'il s'infléchit de manière à terminer et à accentuer l'ensemble. Dans l'église des Jacobins à Toulouse (228) l'inflexion du chevet tend à résoudre la dualité de la nef coupée en deux par la rangée des colonnes. L'abside de la bibliothèque de Furness à l'Université de Pennsylvanie résout de la même manière la dualité créée par les arcades du mur qui lui fait face. La nef de l'église paroissiale, de style gothique tardif, de Dingolfing (229), bâtie comme une halle, est divisée en deux en son extrémité, par une colonne, mais la coïncidence entre la travée centrale et la fenêtre placée en arrière et issue des voûtes complexes, résout la dualité originelle. La courbure orientée des murs latéraux de la nef dans l'église paroissiale de Rimella (230) contrecarre l'effet de morcellement produit par les deux travées de la nef. Leur inflexion vers le centre accentue la sensation d'espace clos et renforce l'unité. De plus une petite travée intermédiaire lie étroitement les deux travées majeures l'une à l'autre.

L'œuvre de Lutyens abonde en dualités. Sur la façade principale du château de Lambay par exemple (231), la dua-

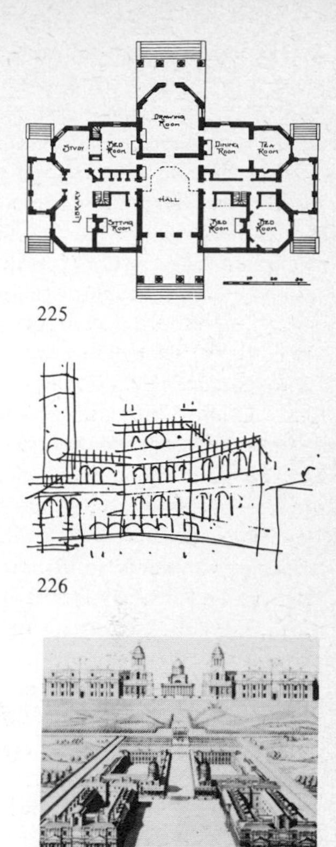

225

226

227

228

lité est résolue par la forme infléchie de l'ouverture percée dans le mur du jardin. Dans l'architecture contemporaine on trouve quelques rares exemples d'inflexion dans les frontons brisés symboliques de l'immeuble de Moretti sur la Via Parioli (10). Ils résolvent en partie la dualité de ce bâtiment coupé en deux pour marquer la séparation en deux groupes d'appartements. La dualité subtilement équilibrée de l'Unity Temple de Wright (232) est dépourvue d'inflexion, à moins de considérer comme telle le piédestal orienté de l'entrée.

L'architecture moderne tend à rejeter l'inflexion quelle qu'en soit l'échelle. Dans la Tugendhat House aucun chapiteau infléchi ne vient compromettre la pureté formelle des colonnes, bien que cela conduise à ignorer les poussées du toit plat qu'elles supportent. Les murs ne reçoivent plus aucune inflexion : ni soubassement, ni corniche, ni accentuations de la structure tels que chaînages d'angle. Les pavillons de Mies sont aussi indépendants que des temples grecs; les ailes des bâtiments de Wright sont liées et emboîtées les unes dans les autres, au lieu d'être indépendantes et infléchies. Pourtant, en adaptant ses maisons campagnardes à leur site particulier, Wright a tenu compte de l'inflexion à l'échelle du bâtiment tout entier. Ainsi Fallingwater ne peut pas être détachée de son contexte : elle est un fragment de son site naturel et forme un tout avec lui. En dehors de ce site elle n'aurait aucun sens.

Si l'inflexion peut apparaître à des échelles différentes — depuis le détail d'un bâtiment jusqu'au bâtiment tout entier —, elle peut aussi contenir des degrés d'intensité différents. A un faible degré l'inflexion implique une sorte de continuité qui renforce l'ensemble. Une inflexion extrême devient pour ainsi dire la continuité elle-même. De nos jours nous ne laissons passer aucune occasion d'exprimer, de souligner la continuité totale de la structure et des matériaux — comme les lignes de soudure, les structures apparentes et le béton armé. A l'exception du joint lisse des débuts de l'architecture moderne, la continuité implicite est rare. Le joint en creux du répertoire de Mies tend à exagérer la séparation. Et Wright, notamment, crée une articulation en changeant de profil quand il passe d'un matériau à un autre, manière significative d'exprimer la nature des matériaux dans une architecture organique. Un contraste entre une continuité exprimée et une réelle discontinuité de structure et de matériaux est une des caractéristiques de la façade du dortoir de Saarinen à l'Université de Pennsylvanie. En coupe ses courbes continues nient les variations des matériaux, des structures et de l'utilisation. Dans les murs méticuleux de Machu Picchu (233) le même profil se prolonge depuis le mur appareillé à joints vifs jusqu'au rocher qui le supporte. La forme d'arche de l'entrée de Ledoux à Bourneville (58) réunit deux sortes de structure (encorbellement et arche) et deux sortes de matériaux (maçonnerie appareillée à joints creux au sommet et à

229

230

231

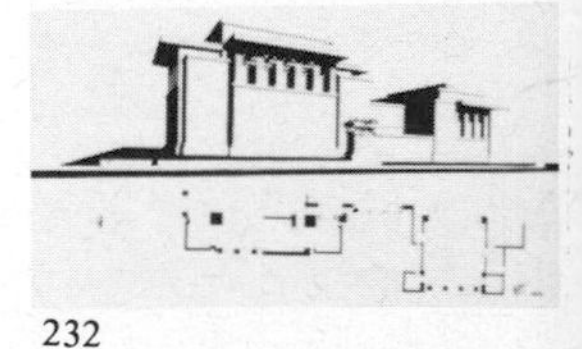

232

joint vif à la base). On trouve des contradictions semblables dans les meubles rococo. Les pieds de biche (234) masquent le joint et expriment la continuité par leur forme et leur décoration. Les rainures continues communes aux pieds et au cadre du siège impliquent une continuité par delà l'inflexion qui contredit quelque peu le matériau et les rapports structurels de ces éléments d'ossature indépendants. L'omniprésente rocaille est un autre procédé ornemental permettant d'exprimer la continuité, procédé commun à l'architecture et aux meubles de style rococo.

233

Dans certains des premiers intérieurs de Wright (235), les motifs des placages de bois jouent le même rôle que la rocaille qui tapisse les intérieurs de style rococo (236). Dans l'Unity Temple et dans l'Evans House (235) ces motifs décorent les meubles, les murs, les plafonds, les menuiseries et les meneaux de fenêtres, et de plus le dessin en est répété sur les tapis. Comme dans le style rococo l'utilisation continuelle d'un motif permet d'obtenir un effet complet et puissant de ce que Wright a appelé plasticité. Il a employé une méthode de continuité implicite pour des raisons valables d'expression et en contredisant avec ironie son dogme sur la nature des matériaux et sa haine déclarée pour le style rococo.

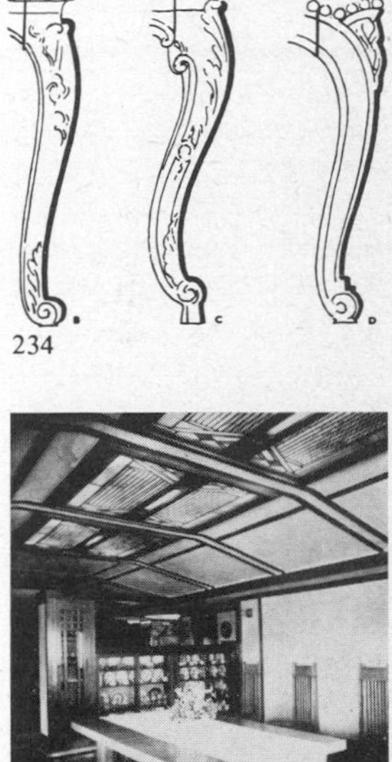

234

Par ailleurs une architecture de complexité et de contradiction peut accepter une discontinuité dans l'expression qui dément une certaine continuité de structure. Le jubé de la cathédrale de Modène (237) où un élément non infléchi donne l'impression d'en porter un autre d'une manière précaire, ou les contreforts abrupts des ailes non infléchies de All Saints Church, dans Margaret Street (93), impliquent une discontinuité dans la forme là où il y a une continuité de structure. La Porte de Soane au Langley Park (238) se compose de trois éléments architecturaux absolument indépendants et non infléchis. Outre le caractère dominant de l'élément central, ce sont les sculptures latérales infléchies qui unifient les trois parties.

235

L'ordre dorique (239) crée un équilibre complexe entre des continuités et discontinuités extrêmes sur le plan de la forme et de la structure. L'architrave, le chapiteau et le fût sont discontinus du point de vue de la structure, mais seulement partiellement discontinus du point de vue de la forme. L'abaque non infléchie met en évidence que l'architrave repose sur le chapiteau. Mais la relation de l'échine au fût exprime une continuité de structure compatible avec une continuité formelle. Les éléments horizontaux et verticaux du T. W. A. Terminal de Saarinen, et de l'Endless House de Frederick Kiesler ne contiennent pas de contradictions de structure : ils sont partout continus. Pourtant les éléments de béton préfabriqués et assemblés permettent des combinaisons ambiguës de continuité et de discontinuité, à la fois structurelles et formelles. Le revêtement du Police Administration Building à Philadelphie présente des joints en creux

236

formant des motifs et séparant des éléments préfabriqués dont les inflexions courbes forment pourtant des profils continus — jeu paradoxal de la continuité et de la discontinuité inhérent à l'expression et à la structure de l'architecture.

Une sorte de continuité implicite ou d'inflexion est inhérente aux « formes de groupe » qui constituent la troisième catégorie dans la nomenclature de l'architecture complexe de Maki qu'il appelle « formes collectives ». Elles comprennent des éléments générateurs et leur système de liaisons et des ensembles dont le système et l'unité sont parties intégrantes. Maki cite d'autres caractéristiques des formes de groupe qui montrent quelques-unes des conséquences de l'inflexion en architecture. La logique des éléments fondamentaux et de leurs relations continues permet l'évolution dans le temps, le maintien de l'échelle humaine et une sensibilité aux conditions d'implantation particulières du complexe.

237

238

La « forme de groupe » s'oppose à une autre catégorie de base de Maki, la « Mega-forme ». L'ensemble dans lequel dominent les rapports hiérarchiques des parties et non l'inflexion propre à ces parties, peut aussi être caractéristique de l'architecture complexe. La hiérarchie est implicite dans une architecture comprenant plusieurs niveaux de signification. Elle contient des configurations qui forment d'autres configurations — les rapports réciproques de plusieurs ordres de puissances différentes pour obtenir un ensemble complexe. Sur le plan de Christ Church, à Spitalfields (240), c'est la succession des ordres des éléments porteurs — haut, bas et moyen; grand, petit et moyen — qui crée l'ensemble hiérarchique. Ou bien sur l'une des façades du palais de Palladio, c'est la juxtaposition et la contiguïté des éléments (pilastres, fenêtres et moulures) et les oppositions entre grand, petit et relativement important qui créent l'unité visuelle de l'image.

Un agrégat dominant est un autre exemple des rapports hiérarchiques qu'entretiennent les parties; il se manifeste en formant un motif uniforme (l'ordre du type thématique) aussi bien qu'en étant l'élément dominant, grâce à quoi on obtient sans difficulté une unité d'ensemble. Au niveau d'une architecture de contradictions il peut être une panacée douteuse, comme une chute de neige qui unifie un paysage chaotique. A l'échelle de la ville, c'est le mur d'enceinte ou le château-fort de l'époque médiévale qui est l'élément dominnant. A l'époque baroque c'est l'axe de la rue dans lequel jouent des diversités mineures (A Paris, l'axe rigide est renforcé par la hauteur des corniches alors qu'à Rome l'axe tend à zigzaguer et est ponctué de piazzas à obélisques communiquant entre elles). La liaison axiale du plan baroque est parfois due à un programme établi par une autocratie qui pouvait exclure facilement des éléments dont on doit aujourd'hui tenir compte. Les grandes voies de circulation

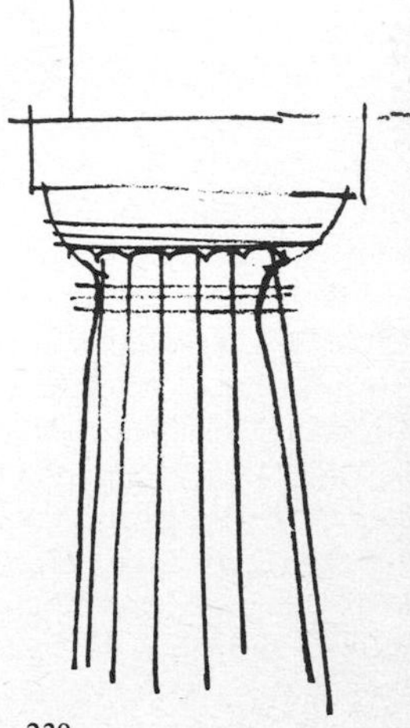

239

peuvent être un procédé dominant pour l'urbanisme contemporain. Effectivement dans l'urbanisme la liaison logique est le plus souvent représentée par la circulation, et dans la construction la liaison logique est en général l'ordre majeur de la structure. C'est un des procédés fondamentaux de l'architecture de viaduc de Kahn et des formes collectives de Tange pour Tokyo. La liaison dominante est un système commode pour la rénovation. James Ackerman mentionne la prédilection de Michel-Ange pour la « juxtaposition symétrique d'accents obliques en plan et en élévation » dans son projet pour Saint-Pierre, qui était essentiellement une rénovation d'une construction antérieure. « En utilisant, pour les murs, des masses obliques pour réunir les bras de la croix, Michel-Ange a réussi à donner à Saint-Pierre une unité qui manquait aux projets antérieurs »[48].

L'utilisation de la liaison dominante, comme troisième élément pour créer l'unité d'une dualité, est un procédé plus facile pour résoudre cette dualité que l'utilisation de l'inflexion. Par exemple le grand arc résout d'une manière non ambiguë la dualité de la double fenêtre du palais florentin de la Renaissance. Sur la façade de la double église S. Antonio et S. Brigida, de Fuga (241), la dualité est résolue par un fronton brisé infléchi, mais aussi par un troisième élément ornemental dominant le centre. D'une manière similaire, la façade de S. Maria della Spina à Pise (242) est dominée par un troisième fronton. En plan les travées à coupole de l'Eglise de l'Immaculée Conception de Guarini à Turin (14) sont infléchies, mais la solution résulte également de l'utilisation d'une petite travée intermédiaire. Le fronton ornemental au centre de l'élévation de Charleval (243) est aussi un troisième élément qui domine les deux autres : de même le porche couvert de l'escalier sur la façade d'une ferme aux environs de Chieti (244) dont la fonction, dans ce contexte, est semblable à celle de l'escalier d'honneur de Stratford Hall en Virginie (245). Il n'y a pas d'inflexion dans la composition de la Villa Lante (246), mais les deux pavillons identiques sont situés de part et d'autre d'un axe, centré sur une sculpture placée sur un axe transversal, et formant un troisième élément qui domine les pavillons – créant ainsi l'unité de l'ensemble.

Mais des rapports hiérarchiques plus ambigus entre des parties non infléchies rendent plus difficile la perception de l'unité d'ensemble. Dans ce cas l'ensemble se compose de combinaisons égales d'éléments. Alors que l'idée de combinaisons égales est apparentée au phénomène du « à la fois », (et nombreux sont les exemples auxquels s'appliquent les deux notions), le « à la fois » se rapporte plus particulièrement à la contradiction en architecture, tandis que la notion de combinaisons égales se rapporte plutôt à l'unité. Avec les combinaisons égales, l'unité d'ensemble ne dépend pas de l'inflexion, ou des facilités de relations avec l'agrégat

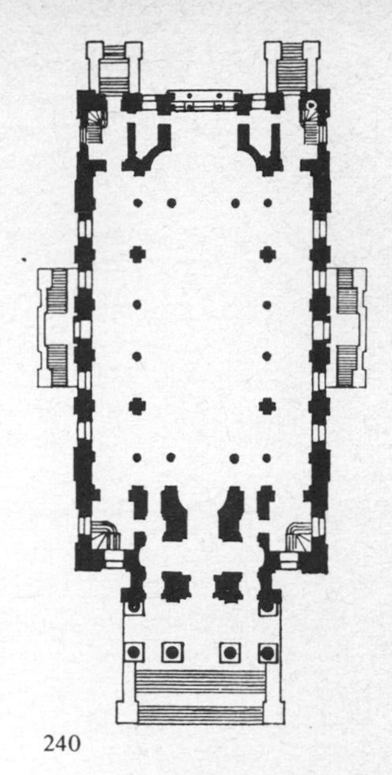

240

241

242

dominant, ou de l'unité ornementale. Par exemple dans la Porta Pia (110, 111) il y a presque autant d'éléments de chaque sorte dans la composition de la porte et du mur et aucun ne domine. Les différentes formes (rectangles, carrés, triangles, segments, et cercles) étant presque aussi nombreuses, la prééminence de l'une d'entre elles est rendue impossible, et l'égalité entre les différentes directions (verticales, horizontales, diagonales et courbes) produit le même effet. De même il y a une égale diversité dans la taille des éléments. Les combinaisons égales des parties engendrent une totalité par superposition et symétrie et non par domination et hiérarchie.

La fenêtre qui surmonte le porche de la Merchants' National Bank de Sullivan à Grinnell, Iowa (112), est presque identique à la Porta Pia avec sa juxtaposition d'un nombre égal de motifs ronds, carrés et en forme de diamants de la même taille. Les diverses combinaisons de nombres analysés sur la façade de sa Columbia Bank (groupes d'éléments impliquant une, deux et trois parties) ont presque une valeur égale dans la composition. Pourtant là l'unité est fondée sur les rapports entre les strates horizontales plutôt que sur la superposition. L'Auditorium (104) exploite la complexité de directions et de rythmes que son programme spécifique peut fournir. Les simples demi-cercles de la décoration murale de la structure, et des segments de voûtes du plafond, contredisent, en plan et en coupe, les courbes complexes des arcs de l'avant-scène, des rangées de sièges, des balcons inclinés, des loges et des corbeaux portés par les colonnes. Ceux-ci à leur tour contrecarrent les rapports rectangulaires des plafonds, des murs et des colonnes.

Ce sens de l'équivoque dans une grande partie de l'œuvre de Sullivan (au moins là où le programme est plus complexe que celui d'un gratte-ciel) révèle à nouveau ce qui le sépare de Wright. Wright exprimait rarement la contradiction interne par des combinaisons égales. Au contraire il fondait toutes les tailles et toutes les formes en un dessin ordonné – un ordre unique et dominant de cercles, de rectangles ou d'obliques. Le projet pour la Vigo Schmidt House est uniquement composé avec des triangles, celui de la Ralph Jester House, avec des cercles et celui de la Paul Hanna House avec des hexagones.

Dans le Centre Culturel de Wolfsburg (78) Aalto utilise les combinaisons égales pour obtenir l'unité au lieu de disperser les éléments en les rendant similaires comme le fait Mies à l'I. I. T. . Comme je l'ai souligné précédemment, il obtient une unité en combinant un nombre presque égal d'éléments obliques et rectangulaires. S. Maria delle Grazie à Milan (247) pousse les combinaisons égales à un point extrême en opposant des formes contradictoires dans sa composition extérieure. La composition dominante triangle-

243

244

245

246

rectangle de la façade avant est associée à la composition dominante cercle-carré de la façade arrière.

L'Eglise de l'Autostrade (4) de Michelucci, comme l'église du Saint-Sépulcre à Jérusalem (dont le plan est reproduit 101) combine en nombre presque égal les directions et les rythmes contradictoires dans les colonnes, les trumeaux, les murs et les toits. On retrouve une composition similaire au Berlin Philharmonic Hall (248). Les formes plastiques de l'architecture populaire méditerranéenne (249) ont une texture simple, mais rectangles, obliques et segments de cercles y sont combinés avec une vulgarité criarde. La coiffeuse de Gaudi dans la Casa Güell (250) est une orgie de dualités formelles contradictoires : combinaison d'inflexions et de continuités extrêmes avec des contiguïtés et des discontinuités violentes, combinaison de courbes simples et de courbes complexes, de rectangles et de diagonales, de matériaux contradictoires, de symétries et d'asymétries, permettant de remplir une multitude de fonctions grâce à un ensemble formant un tout unique. A l'échelle de l'ameublement la prééminence du caractère équivoque est exprimée sur le fauteuil illustré sur (103). Le profil arrière est courbe et le profil avant rectangulaire. Sa difficile composition n'est pas différente de celle du fauteuil en bois moulé d'Aalto (251).

247

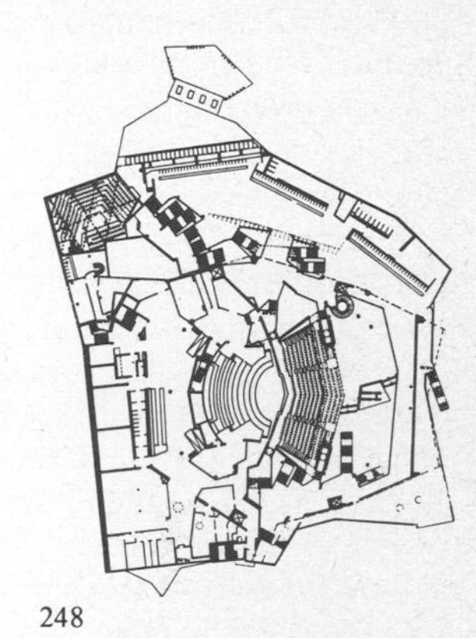
248

249

Le tout inclusif est inhérent à une architecture d'oppositions. L'unité de l'intérieur de l'église Imatra ou du complexe de Wolfsburg est obtenue non par suppression ou exclusion mais par l'inclusion dramatique de parties contradictoires ou extérieures à la composition. L'architecture d'Aalto répond à toutes les conditions difficiles et subtiles du programme alors qu'à l'opposé l'architecture « sereine » s'efforce de simplifier.

Cependant, dans une architecture de complexité et de contradiction, l'obligation de la totalité n'exclut pas le bâtiment non résolu. Poètes et dramaturges acceptent des dilemmes sans solution. La force des problèmes et la clarté de la signification est ce qui fait de leur œuvre un art plus qu'une philosophie. Un des buts de la poésie peut être l'unité de l'expression, au-delà de l'explicitation du contenu. La sculpture contemporaine est souvent fragmentaire, et aujourd'hui nous apprécions plus les Pietas inachevées de Michel-Ange que ses premières œuvres, parce que leur contenu est suggéré, leur expression plus immédiate et que leurs formes se complètent au delà d'elles-mêmes. Un bâtiment aussi peut être plus ou moins incomplet dans l'expression de son programme et de sa forme.

La cathédrale gothique, celle de Beauvais par exemple, dont seul l'énorme chœur fut bâti, est fréquemment inachevée par rapport à son programme, mais elle est pourtant complète du point de vue de l'effet de sa forme à cause de l'harmonie des motifs de ses nombreuses parties. Le programme complexe, qui est un processus continuellement changeant et se développant dans le temps, mais pourtant à chaque instant relié, à quelque niveau, à une totalité, devrait être reconnu pour essentiel à l'échelle de l'urbanisme. Le programme incomplet est tout aussi valable pour un bâtiment complexe mais isolé.

Chacune des églises jumelles partielles de la Piazza del Popolo est complète du point de vue du programme et pourtant incomplète dans l'expression formelle. Comme nous l'avons vu, la tour unique asymétrique infléchit chaque édifice vers un ensemble plus grand qui lui est extérieur. Le bâtiment très complexe, dont la forme ouverte est incomplète, constitue par lui-même une « forme de groupe » de Maki; c'est l'antithèse du « bâtiment parfait et unique » [49] ou du pavillon clos. En tant que fragment d'un tout plus grand dans un contexte plus vaste, cette sorte de bâtiment participe aussi à l'optique urbanistique, car c'est un moyen d'accentuer l'unité d'un ensemble complexe. Une architecture qui peut assumer simultanément des niveaux contradictoires, devrait pouvoir admettre le paradoxe de « la totalité qui est une partie » : le bâtiment qui, d'un certain point de vue, constitue un tout mais un tout qui, d'un autre point de vue, est un fragment d'un ensemble plus grand.

250

251

Dans *God's Own Junkyard* Peter Blake a comparé le chaos de la rue commerçante : Main Street, avec l'ordre de l'Université de Virginie (252 et 253). Mis à part le fait que cette comparaison manque d'à propos, Main Street n'est-elle pas presque parfaite? Effectivement le déroulement commercial de la Route 66 n'est-il pas presque parfait? Comme je j'ai dit, notre problème est le suivant : quel léger changement du contexte les rendra parfaits? Peut-être un meilleur contrôle des panneaux publicitaires. Dans *God's Own Junkyard* les illustrations représentant Times Square et la Grand'Route sont comparées à des illustrations de villages de la Nouvelle-Angleterre et de paysages d'Arcadie. Mais les images de ce livre qui sont censées être laides sont souvent agréables. La juxtaposition apparemment chaotique d'éléments criards donne l'impression d'une vitalité et d'une force mystérieuses, et ils fournissent aussi une approche inattendue de l'unité.

Il est vrai qu'une interprétation ironique comme celle-ci provient partiellement du changement de dimensions que la photographie fait subir au sujet, et du changement que fait subir au contexte le cadrage des photographies. Mais dans toutes ces compositions il y a un sens de l'unité intrinsèque qui est presque immédiat. Ce n'est pas l'unité évidente ou facile qui découle de la liaison dominante ou de l'harmonie ornementale des compositions plus simples, moins contradictoires, mais celle qui provient de l'ordre complexe et trompeur propre à la difficile totalité. C'est la composition tendue qui contient des relations en contrepoint, des combinaisons égales, des fragments infléchis et qui assume les dualités. C'est l'unité qui « se contente uniquement de contrôler les éléments disparates qui la composent. Le Chaos est très près : sa proximité et le fait qu'il soit évité... renforcent l'impression d'unité »[50] Dans les bâtiments ou les paysages urbains qui ont des raisons d'être complexes, l'œil nc chcrchc pas à ĉtrc trop facilcmcnt ou trop rapidement satisfait dans sa recherche de l'unité à l'intérieur du tout.

Quelques-unes des leçons éclatantes du Pop Art, impliquant des contradictions de dimensions et de contexte, devraient avoir tiré les architectes de leurs rêves guindés d'ordre pur, rêves qui dominent malheureusement dans l'unité « à la mode Gestalt » des projets de rénovation urbaine conçus par les architectes modernes installés et qui sont, par bonheur, absolument impossibles à réaliser dans n'importe quel projet de grande envergure. Et c'est peut-être dans le paysage quotidien, vulgaire et dédaigné, que nous trouverons l'ordre complexe et contradictoire dont notre architecture a un besoin vital pour former des ensembles intégrés au cadre urbain.

252

253

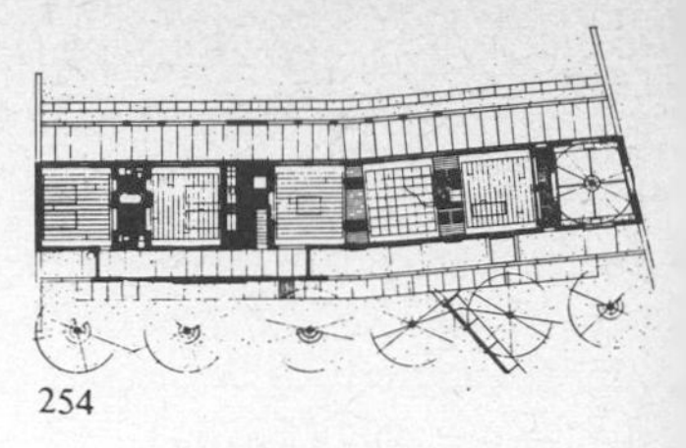

254

11. Présentation d'œuvres personnelles

1. Projet, Pearson House, Chestnut Hill, Pa., Robert Venturi, 1957 (254 à 259).

Le projet de cette maison a été établi en 1957. C'est un des rares exemples de l'idée d'enclos multiple dans mon œuvre; en effet des enclos stratifiés exigent des programmes de grandes envergure que je n'ai pas encore eu l'occasion de réaliser. L'enclos multiple implique des objets à l'intérieur d'autres objets et des objets derrière des objets.

Il développe l'idée de stratification de l'espace exprimant la contradiction entre l'intérieur et l'extérieur par la série de murs parallèles en plan, et les coupoles intérieures ouvertes, portées par des structures inclinées en coupe; l'idée de juxtaposition rythmée, de contrepoint, par les rapports entre les ouvertures dans les piliers du porche, les fenêtres hautes et basses, et les lanternes qui surmontent les coupoles intérieures; et l'idée d'une série d'espaces en enfilade, ayant la même forme et pas d'affectation fonctionnelle, et séparés par des espaces servants ayant une forme et une fonction spécifiques.

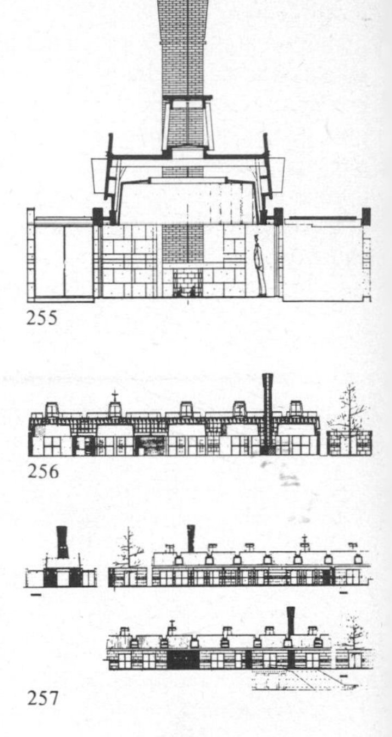

255

256

257

2. Rénovation de la James B. Duke House, Institut des Beaux Arts, Université de New-York, Robert Venturi, Cope et Lippincott, Architectes Associés, 1959 (260 à 264).

258

Cet hôtel particulier situé en haut de la Cinquième Avenue fut légué à l'Institut des Beaux Arts pour y créer une école supérieure d'Histoire de l'Art. Il fut construit en 1912 sur un projet de Horace Trumbauer et décoré par Alavoine. Extérieurement c'est une copie de l'Hôtel Labottière de Bordeaux, mais l'échelle en est accrue et les dimensions augmentées – des proportions Louis XIV pour un bâtiment Louis XVI. Ses détails dans le style Louis XVI de l'époque Edouard VII sont exceptionnellement beaux à l'intérieur comme à l'extérieur.

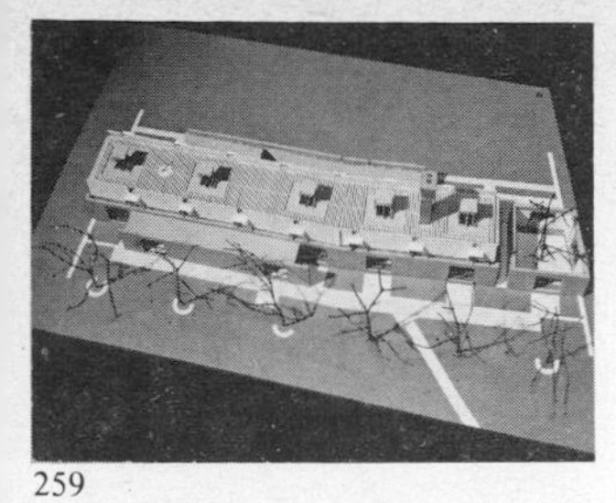
259

262

260

263

261

264

Notre dessein était, tout en modifiant aussi peu que possible l'intérieur, d'obtenir une harmonie entre le nouveau et l'ancien grâce à des juxtapositions contradictoires : détacher les joints entre les couches anciennes et nouvelles, obtenir la transformation par des additions et non en modifiant les éléments intérieurs existants, porter l'effort sur un nouvel ameublement plutôt que sur l'architecture et utiliser des meubles et des équipements courants et standard mais que l'environnement inhabituel mettrait en valeur. Ces éléments sont les chaises en bois moulé, et les rayonnages en acier de Remington Rand dont le dessin géométrique rectangulaire se surimpose à celui des panneaux muraux; mais les rayonnages sont séparés des panneaux par des tasseaux de cuivre spécialement conçus à cet effet, avec un système coulissant pour éviter les moulures, et séparés du sol par des semelles de montants dessinées spécialement.

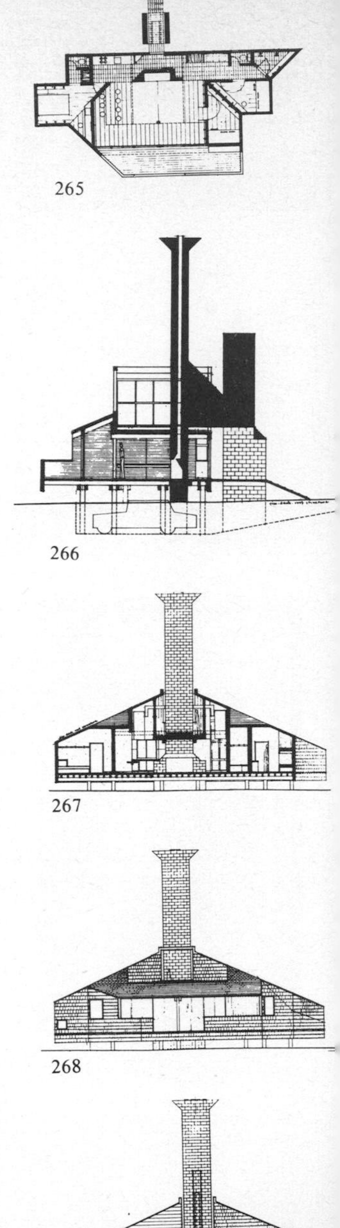
265
266
267
268
269

3. Projet pour une Villa de bord de mer, Robert Venturi, 1959 (265 à 271).

Cette résidence secondaire est située en bordure de plage dans les dunes et fait face à l'océan. Elle est aménagée très simplement puisqu'il est prévu que ses habitants passent la plus grande partie de la journée sur la plage. Il y a une petite terrasse qui donne sur la mer et un belvédère à ciel ouvert sur le toit, auquel on accède par une trappe et une échelle près de la cheminée.

Les murs sont une double cloison porteuse. Le toit est fait de planches de bois assemblées à onglet, de sorte que la structure toute entière est à la fois un revêtement et une quasi-charpente. On trouve une exception dans le lanterneau et dans l'ouverture de la façade où la portée exceptionnellement grande exige quelques éléments porteurs supplémentaires : un poteau et quelques poutres. Cette exception centrale rend plus apparente la charpente qui couvre l'ensemble. (Le sol est surélevé sur des pilotis et des poutres en bois).

D'une manière significative, la maison n'a que deux façades : l'une orientée vers la mer, et l'autre à l'arrière pour l'entrée. Elle n'a pas de côtés, pourrait-on dire; et la différence existant entre l'avant et l'arrière met en évidence l'inflexion vers la mer. Le coin de feu-cheminée placé au centre et en arrière est un point de convergence pour les murs diagonaux qui en rayonnent d'abord symétriquement pour former les espaces intérieurs. A cause de cette configuration complexe, en plan et en élévation, le toit est à la fois à quatre pentes et à deux pentes et sa forme symétrique à l'origine est déformée aux extrémités du bâtiment par différentes exigences intérieures et par les contraintes extérieures de l'orientation et de la vue. A l'extrémité en pointe, la nécessité d'exprimer de l'extérieur le volume d'une maison « sans côtés », orientée vers la mer, prime le besoin secondaire d'un espace intérieur pour la douche.

Toute la surface extérieure est recouverte de bardeaux de cèdre naturel. Les bordures de pignon à la jonction du toit et du mur sont réduites pour accentuer la continuité entre eux. Sur les murs les écailles qui se chevauchent se prolongent par une jupe au-dessus des pilotis. Les ouvertures des fenêtres et du porche découpent des trous variés dans le revêtement continu. Les surfaces intérieures, que l'on voit par les fenêtres, et à l'intérieur du porche sont en bois peint qui fait contraste avec l'extérieur, comme la doublure d'une cape. Les linteaux des ouvertures, sur lesquels s'arrête le revêtement, sont d'une couleur qui fait contraste. Les bardeaux ne touchent jamais ni la cheminée, ni son contrefort dont la base, divisée en deux, forme un vestibule en plein air.

270

271

4. Siège social de la North Penn Visiting Nurse Association, Venturi et Short, 1960 (272 à 277).

Un budget restreint nous imposait un petit bâtiment de structure traditionnelle. L'emplacement suggérait des dimensions hardies et une forme simple pour répondre aux grands bâtiments voisins. Cependant le programme imposait un intérieur complexe avec des espaces divers et des aménagements spéciaux pour le rangement. Pour les cinq voitures du personnel un parking de niveau sur un terrain en pente raide imposait une cour sur le devant cernée par un mur de soutènement. Et une entrée pour piétons avec un minimum de marches à l'extérieur nécessitait de même un bâtiment donnant directement sur la rue.

Le bâtiment qui en est résulté est une boîte déformée à la fois simple et complexe. Parce qu'ils sont adjacents et que leur surface est approximativement la même, la cour et le bâtiment créent une dualité. La proue du bâtiment produit une inflexion vers la cour pour résoudre la dualité, mais cette distorsion de la boîte qu'est le bâtiment renforce en même temps la dualité car elle sert de complément au mur courbe de l'autre extrémité de la cour et rend ainsi cette dernière plus symétrique et donc moins dépendante du bâtiment. A cet égard celui-ci tient plus de la sculpture que de l'architecture. Les contraintes spatiales extérieures dominent les contraintes intérieures, et le plan est conçu de l'extérieur vers l'intérieur. On a créé ici un intérieur bizarre qui est un espace secondaire – tout bonnement la chambre noire du dentiste.

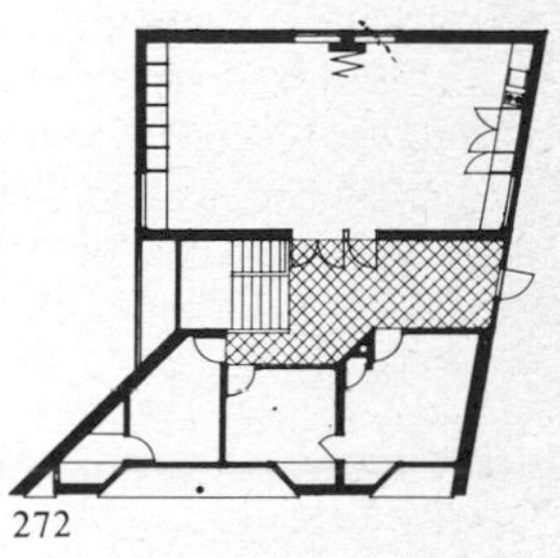
272

La distorsion agit aussi dans l'élément ouvert en plein air : la courbure légère du mur de soutènement dans la cour essentiellement rectangulaire répond à la pression de la masse de terre et y résiste. Le bâtiment en forme de boîte

273

est aussi déformé par le mur Est parallèle à la limite du terrain dans ce site semi-urbain. La surface extérieure de cette boîte, simple à l'origine, est également déformée. Les fenêtres tournées vers le Sud sont encastrées dans la façade pour créer des auvents faisant corps avec le bâtiment. Elles font aussi partie intégrante des salles de rangement situées à l'intérieur, le long de ce mur parallèle à la pente du toit.

Les percements sont grands et rares avec parfois des fenêtres jumelées ou placées en retrait, et ils augmentent l'échelle de ce petit bâtiment. A l'extérieur, les fenêtres de l'étage inférieur sont entourées d'un cadre qui les agrandit — dans ce cas c'est cette moulure de bois qui résout les contradictions entre les dimensions intérieures et extérieures. La position complexe des fenêtres et des ouvertures de cette façade contredit également la simplicité de la boîte. Ces percements ne sont pas implantés au hasard mais suivant un rythme qui, régulier à l'origine, a été déformé par la complexité et les particularités de l'aménagement intérieur.

La façade d'entrée située à un niveau intermédiaire est également une composition complexe et hardie. Elle est constituée d'un nombre presqu'égal d'éléments rectangulaires, de diagonales et de segments de cercle juxtaposés selon une disposition semblable à celle de certaines portes Renaissance. L'enveloppe extérieure de l'ouverture est rectangulaire du fait de l'ossature du bâtiment faite de planches et de madriers. Par contraste l'arc a été déterminé non par la nature des matériaux ni par la structure de sa charpente de bois mais parce qu'il symbolise une entrée. En outre et cela est plus important, en tant qu'exception accidentelle à l'ordre général de la composition, elle devient un point de convergence. Les poutres diagonales sont également riches de signification : elles étayent la poutre centrale qui porte l'avancée exceptionnelle du plafond au-dessus de cete ouverture, et contrastent avec le poteau vertical situé au milieu de la grande fenêtre sur la façade principale, poteau conforme par sa position avec la composition rectangulaire du bâtiment. La grande ouverture de l'arc, avec ses dimensions propres à un bâtiment public, se superpose aux portes à l'échelle humaine qui sont ainsi abritées. Il y a ici une juxtaposition de dimensions aussi bien que de formes.

En écho à la complexité du programme intérieur, la façade principale exprime le dédale des rangements par la crénelure faisant alterner les fenêtres et les placards. On en trouve une autre manifestation dans le mur implanté en oblique dans le hall — autre déformation servant à répondre aux complexités du programme qui sont coincées à l'intérieur de leur enclos rigide.

Les structures incohérentes du plancher et du toit s'adaptent d'une manière similaire aux murs porteurs du périmètre rigide. Le plancher est une dalle portant dans les deux directions qui s'adapte aux irrégularités intérieures des murs

274

275

276

277

porteurs. Par ailleurs, pour les planchers et le toit, des poutres d'acier et de bois sont plus ou moins parallèles aux murs combinant les fenêtres et les rangements. Ici comme dans l'entrée, l'intervalle entre les poutres est couvert par un plancher de bois, ce qui permet aux ouvertures et aux fenêtres d'arriver jusqu'à la fine ligne de la corniche et fait paraître la boîte plus abstraite. J'ai déjà parlé de l'utilisation qui est faite de poteaux verticaux ou inclinés pour recouper la portée quand elle devient exceptionnellement grande.

Pour accentuer la minceur de la surface et contredire la plasticité de la forme de boîte, l'enduit de surface comporte un minimum d'écoinçons dont le détail est constitué par un listel d'encadrement recouvert de bois. J'ai « détruit la boîte », non par des effets spatiaux continus, mais par des déformations répondant aux circonstances.

5. F. D. R. Memorial Competition, Robert Venturi, John Rauch, George Patton et Nicholas Gianopulos, 1960. (278 à 283).

Il s'agit d'un talus allongé qui contredit, et donc met en valeur les formes blanches et sculpturales des trois principaux monuments de Washington existant déjà aux alentours. Ce n'est pas une quatrième forme sculpturale posée à côté d'un parking. C'est plusieurs choses à la fois : une promenade en plein air le long du Potomac, faite de marbre blanc, qui tient compte de la berge du fleuve en l'affectant aux promeneurs; une rue d'un seul tenant, dans laquelle est aménagé le parking des visiteurs enserré entre des murs en forme de cañon faisant contraste avec les avenues ouvertes alentour; et de l'autre côté une butte engazonnée servant d'arrière-plan aux cerisiers du lac. Face au fleuve, la coupe verticale, incurvée et complexe, comporte une multitude de rampes, d'escaliers et de passages et un bas-relief fait pour être regardé de près – mais par son extrême continuité, suggérée et réelle, ce profil contribue à créer des dimensions monumentales correctes, visibles de loin. Par ailleurs la courbe continue du profil est traitée avec des matériaux différents : herbe, terre battue, vigne vierge et béton se succèdent en dégradé en fonction du plus ou moins grand degré de pente. Une variété d'espaces est créée par la succession du parc ouvert, de l'étroit cañon affecté aux véhicules, des passages fermés pour les piétons et de la promenade en plein air orientée et allégée à son tour par des détails tels qu'arbres, buissons, et au milieu, dans l'axe de l'obélisque de Washington, l'étroite perspective coupée par un petit pont.

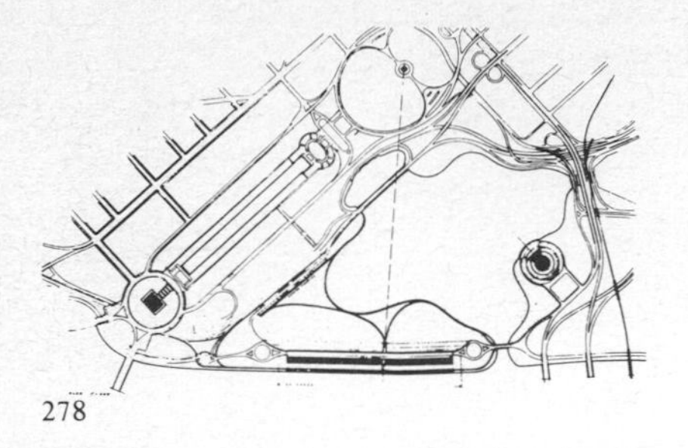

278

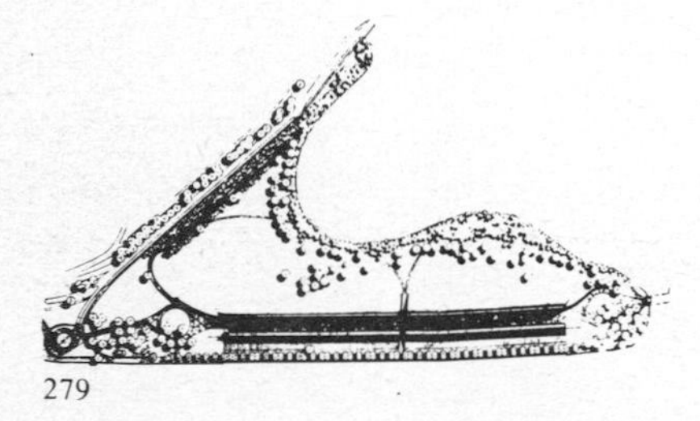

279

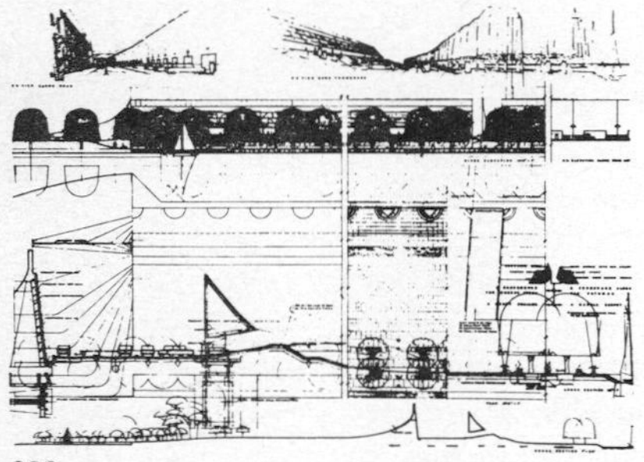

280

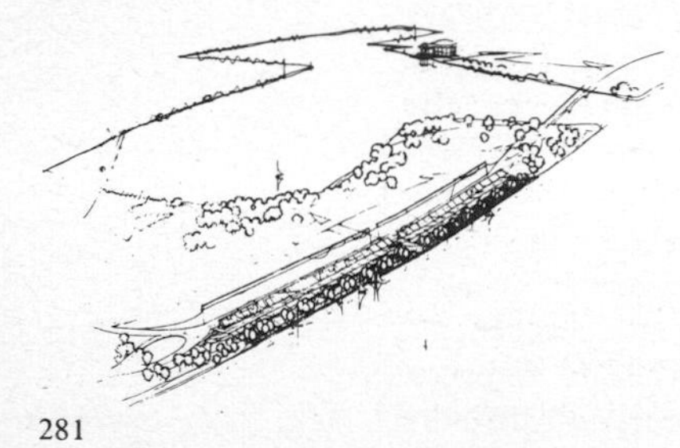

281

282

283

6. Rénovation d'un restaurant dans le quartier Ouest de Philadelphie, Venturi et Short, 1962 (284 à 288).

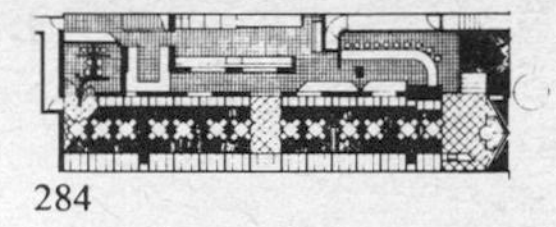
284

La rénovation de ce restaurant comprenait l'inclusion de deux maisons délabrées alignées et accolées dont les rez-de-chaussée avaient été transformés en boutiques. Ce restaurant devait être un modeste établissement de quartier convenant à des étudiants. Les propriétaires avaient précisé qu'il devait conserver l'atmosphère de simplicité de leur précédent restaurant, situé un pâté de maisons plus loin et connu sous le nom de « Mom's », et que les étudiants « devraient s'y sentir à l'aise dans leur T-shirts ». Le budget prévu était en rapport avec le caractère modeste de l'endroit, et il fut suffisant.

285

A l'intérieur comme sur la façade la dualité de l'agencement existant, avec le mur mitoyen porteur au beau milieu, a été accentuée et non masquée. Il y avait une autre condition déterminante pour l'établissement du plan : un second mur porteur parallèle au premier, qui servit à séparer la cuisine du petit espace réservé au service. La partie Ouest comprend la salle du restaurant avec des loges et des tables; la partie Est comprend la cuisine, les espaces réservés au service, les toilettes, le comptoir et l'entrée.

286

Après le vestibule et avant la porte de la salle, il y a quelques marches intérieures pour rattraper le niveau plus élevé du rez-de-chaussée des anciennes maisons. A l'extrémité Est se trouve un passage conduisant aux appartements prévus aux étages supérieurs.

Plutôt que de la cacher nous avons décidé d'exploiter l'étroitesse du budget et, en accord avec le caractère modeste de l'endroit où sur chaque table il y a une bouteille de Ketchup, nous avons essayé de n'utiliser que des procédés et des éléments traditionnels mais de manière à conférer à ces objets courants une portée nouvelle par un contexte nouveau. Nous voulions aussi réagir contre les aménagements modernes typiques, hyperfonctionnels, que l'on rencontre de nos jours. Pour l'éclairage principal nous avons utilisé de grands R.L.M.'s de porcelaine blanche – un luminaire industriel démodé, solide et bon marché, rendu élégant par le contexte que nous lui avons donné. Les chaises étaient des Thonet en hêtre plié, qui sont des objets aux formes presque anonymes bien qu'aujourd'hui elles deviennent peut-être à la mode. Les loges ne furent pas dessinées dans ce genre exagérément bas au capitonnage pseudo-luxueux, qui laisse voir le client, mais dans un genre plus traditionnel, relativement hautes, avec un rembourrage confortable mais simple qui confère une agréable sensation d'intimité. Les canalisations du conditionement d'air furent laissées apparentes par souci d'économie et pour créer un ornement fonctionnel fortuit du même genre que les ventilateurs mécaniques qui pendaient autrefois au plafond. Le sol est en béton peint et en carrelage plastique, le plafond recouvert de plaques insonorisantes.

La décoration des murs a été réalisée de façon étonnament bon marché en peignant des motifs sur le plâtre au-dessus des boiseries des loges. Les lettres constituant le nom du propriétaire et s'étendant sur presque toute la longueur de la salle sont tracées en caractères traditionnels. Sur le mur oppose une image réfléchie de ces lettres se juxtapose aux « fenêtres » ouvrant sur la cuisine. Ces effets illogiques accentuent la fonction décorative des caractères d'imprimerie. Le gigantisme des lettres crée une dimension et une unité appropriées à un lieu public et s'opposent à l'échelle inévitablement individuelle des tables et des loges. Les lettres sont bordées comme autrefois par un filet qui distingue et camoufle à la fois la jonction du mur et du plafond. On a choisi une couleur de faible intensité pour le plafond et une couleur d'intensité moyenne pour le sol. Les murs qui sont d'intensité moyenne dans la partie inférieure (les boiseries hautes d'un mètre cinquante) et d'intensité faible au-dessus prolongent cette dualité. Les couleurs sont des couleurs secondaires mais gaies et viriles. Les couleurs de l'enseigne extérieure n'ont aucun rapport avec les couleurs intérieures par que l'extérieur est différent de l'intérieur. Elles sont primaires et plus éclatantes.

Comme ce restaurant est composé de deux maisons, sa nouvelle façade est une superposition d'un élément double et d'un élément unique – à nouveau un jeu de dualités. Les anciennes maisons, qui ont une corniche presque continue, sont identiques à partir du premier étage. On a affaibli leur dualité en peignant tous les étages d'un gris foncé neutre. Au rez-de-chaussée le pilier central portant entre les deux larges ouvertures met nécessairement en valeur une certaine dualité. La surface du mur a été laissée inchangée à l'exception de l'application de la couleur gris foncé. A l'intérieur du cadre des deux ouvertures apparaît un traitement du mur contradictoire, nouveau et varié – concave du côté de l'entrée, convexe sur les autres côtés. Ces différences accentuent encore en façade la dualité du rez-de-chaussée.

C'est l'enseigne en porcelaine émaillée disposée au niveau du premier étage qui résout hardiment le jeu simultané de la dualité et de l'unité engendré par la composition antérieure du bâtiment. Par son extension en travers de toute la façade, cette enseigne favorise l'unité; mais par la séparation de ses couleurs – bleu à droite et jaune à gauche – elle souligne la dualité du bâtiment originel. La continuité des lettres découpées dans du plastique blanc rétablit l'unité.

De la même manière, l'enseigne en forme de tasse attire l'attention parce qu'elle réunit et sépare en même temps. Avec elle le sigle passe de deux à trois dimensions de sorte qu'elle peut être vue par les passants longeant la façade, tandis que la partie plate de l'enseigne est visible de loin. Par leur position intermédiaire entre les côtés bleu et jaune,

287

288

les feuillets de la tasse sont alternativement bleu et jaune et la vision qu'on en a change lorsqu'on passe devant eux. La nuit les lettres translucides et blanches sont éclairées de l'intérieur, et le profil de la tasse devait être délimité au néon, mais il fut modifié par les propriétaires. Les dimensions hardies des lettres sont fonction de leur rôle publicitaire. Et la divison du mot en deux renforce la dualité et attire ceux qui répugnent à lire les affiches. A la fin nous fûmes trahis par les propriétaires dont les changements parodièrent notre parodie.

7. Projets pour Meiss House, Princeton, N.J., Venturi et Short 1962 (289 à 295).

Le site pour cette maison de Princeton était un très grand terrain plat avec l'arrière orienté au Sud et vue sur une vieille écurie et sur un champ appartenant à l'Institute for Advanced Studies. Il y poussait quelques bouquets de jeunes arbres et une rangée de vieux pommiers. Le programme prévoyait un bureau spacieux pour le professeur, facilement accessible depuis la porte d'entrée et depuis sa petite chambre à coucher; un grand nombre de salles de rangement spécialisées et une piscine couverte, en plus des pièces habituelles d'une maison de taille moyenne. Les clients désiraient jouir à la fois d'intimité et de soleil.

La composition du projet N° 1 est une dualité. De face, un long élément au toit à deux pentes se juxtapose à l'arrière d'un élément couvert à une pente. La zone frontale comporte principalement les entrées, les circulations, les salles de rangement, les communs et la piscine et elle protège la partie arrière qui contient les pièces d'habitation. A l'étage de la partie frontale se trouvent deux chambres d'ami; la maîtresse de maison pourrait aussi utiliser l'une d'entre elles comme un bureau. Vue de face la rencontre violente de ces deux formes de toitures indépendantes permet de percer une série variée de lanterneaux dans la partie arrière.

La dualité est résolue par l'aspect particulièrement strict que les extrémités, sans ouvertures, de la maison confèrent au périmètre qui enferme ses deux éléments – aspect qui favorise l'unité de la composition à ce niveau. De plus, en plan, la découpe des fenêtres perçant le mur arrière et donnant sur une longue terrasse est particulièrement complexe – pour pouvoir modifier l'éclairage naturel ou tenir compte de l'espace intérieur – et elle contraste avec l'austérité du mur frontal. Sur celui-ci les ouvertures irrégulières des fenêtres équilibrent l'hyper-symétrie de la façade à fronton. Le mur qui vient en avant et forme le troisième élément superposé, et le garage, implanté en biais pour suggérer une cour intérieure, créent une impression d'enclos.

Les clients n'aimèrent pas le projet N° 1 parce qu'ils pen-

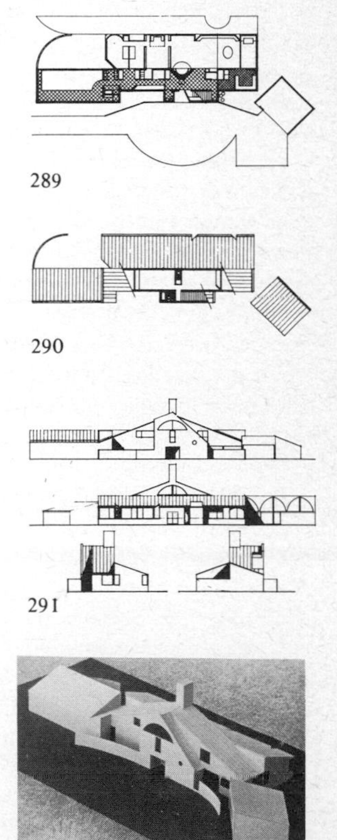

289

290

291

292

saient que sur l'arrière un plan linéaire nuirait à l'intimité à cause des vues extérieures. C'est pourquoi le plan, à partir de sa forme fondamentale en L, évolua dans les parties arrière pour devenir extrêmement complexe afin de conserver autant d'ensoleillement et contraster avec le plan rigide et fermé de la façade du L. Les toitures complexes se fondent ici l'une dans l'autre au lieu de se heurter violemment. Les chambres de l'étage, les fenêtres et le balcon sont découpés à l'intérieur de ces toitures afin de ne pas rompre leur continuité par des mansardes. Mais le toit à une pente, espace frontal, bute effectivement contre les autres toits et le lanterneau qui en résulte est sur la façade un indice de la complexité de l'arrière de la maison. La cour de service clôturée et terminée en pointe, accentue la fonction de protection sur la façade ou sur le périmètre extérieur du L. Les clients n'apprécièrent pas non plus ce projet...

8. Guild House, Maison pour personnes âgées, Philadelphie, Venturi et Rauch, Cope et Lippincott, Architectes Associés, 1960-1963 (296 à 304).

Le programme prévoyait 91 appartements de types variés avec une salle de séjour commune, pour loger des personnes âgées qui voulaient rester dans leur ancien quartier. L'environnement limitait la hauteur du bâtiment à six étages. Le petit terrain urbain donne au Sud sur Spring Garden Street. Le programme intérieur suggérait qu'un maximum d'appartements soient orientés au Sud, au Sud-Est et au Sud-Ouest pour profiter de la lumière et de l'animation de la rue, mais le caractère urbain de la voie suggérait un bâtiment qui ne fût pas un pavillon indépendant, mais qui tînt compte au contraire par sa façade des exigences spatiales de la rue. Le résultat en a été un bâtiment à la forme orientée dont les façades avant et arrière sont différentes. La façade avant est décollée du reste du bâtiment à son extrémité, à l'endroit où se trouvent les balcons des salles communes, de manière à mettre en valeur le côté archaïque des façades sur rue. Par contraste les façades latérales sont compliquées, plus sensibles aux exigences spatiales de l'intérieur qu'à celles de l'extérieur avec leur configuration précise, et répondent au besoin d'un maximum de lumière, venant du Sud-Est et du Sud-Ouest, au besoin de vues et d'espaces verts.

Les espaces intérieurs sont définis par les labyrinthes compliqués des murs qui répondent au programme extrêmement complexe et varié d'une maison d'habitation (par opposition à un immeuble de bureaux par exemple), et à la construction par poutres plates. Il y a un maximum de volume intérieur et un minimum de couloirs. Le couloir est un espace résiduel irrégulier et varié plutôt qu'un tunnel.

L'économie imposait non des éléments architecturaux

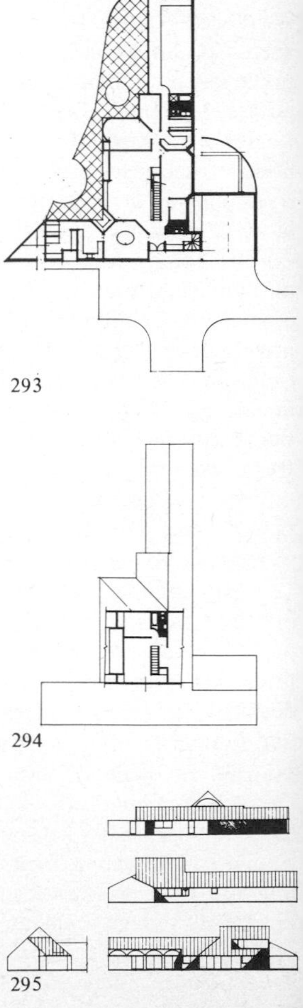
293

294

295

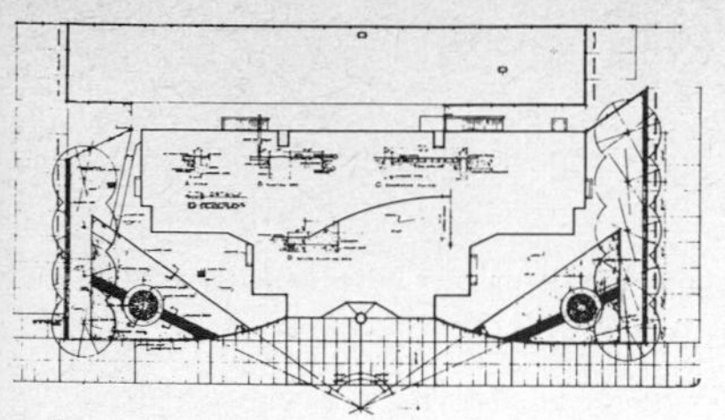

296

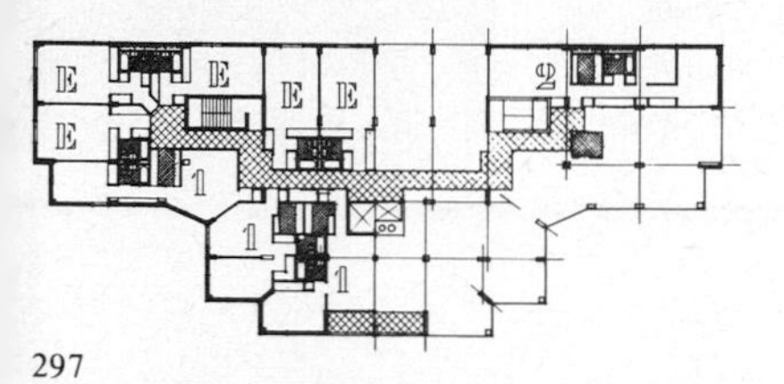

297

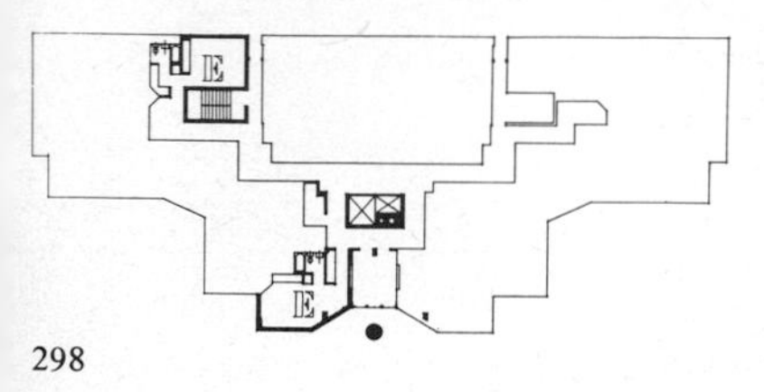

298

299

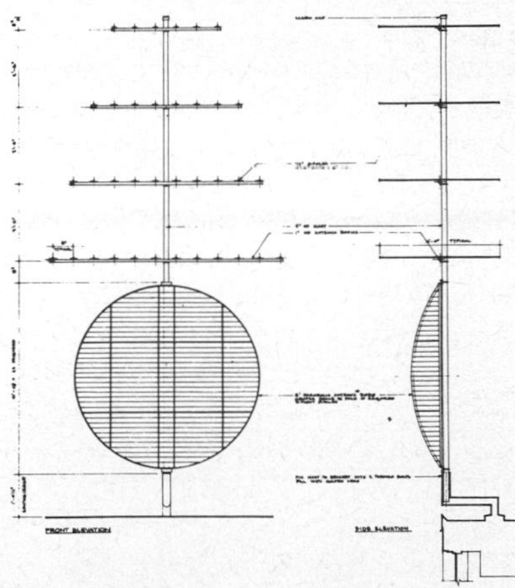

300

« d'avant-garde » mais des éléments traditionnels. Nous ne nous y sommes pas opposés. Les murs de briques brun foncé et leurs fenêtres à guillotine rappellent les traditionnelles rangées de maisons de Philadelphie ou même les façades arrière, semblables aux maisons de rapport, des immeubles d'habitation du début du siècle. Cependant l'effet des fenêtres est inhabituel parce qu'elles sont ingénieusement proportionnées et anormalement grandes. Le changement d'échelle de cet élément absolument banal confère une tension et une qualité à ces façades qui, maintenant, apparaissent comme des formes à la fois traditionnelles et non-traditionnelles.

La grosse colonne ronde au milieu de la façade est en granit noir poli. Elle s'adapte bien en la mettant en valeur à l'ouverture exceptionnelle de l'entrée du rez-de-chaussée, et contraste avec la grande surface blanche en briques vernissées qui s'étend jusqu'au milieu du premier étage sur cette petite partie de la façade. La balustrade du balcon du premier étage, comme celles des autres étages est une plaque d'acier perforée, mais ici elle est peinte en blanc et non en noir afin d'introduire dans cette zone une continuité de surface malgré le changement de matériau. La fenêtre centrale du dernier étage rappelle la forme particulière de la salle commune située à l'intérieur et crée un lien avec l'entrée du rez-de-chaussée, ce qui augmente l'échelle du bâtiment du côté de la rue et de l'entrée. Sa forme arrondie permet aussi d'ouvrir un vaste percement dans le mur, qui reste un trou dans un mur et n'apparaisse pas comme un vide dans l'ossature. L'antenne de télévision au sommet de cet axe et dépassant le faîtage uniformément horizontal du bâtiment renforce l'échelle particulière de cette partie centrale de la façade et exprime un caractère monumental du même genre que celui de l'entrée du château d'Anet. L'antenne, avec sa surface anodisée or, peut être interprétée de deux manières : abstraitement comme une sculpture à la manière de Lippold, et comme le symbole des gens âgés qui passent tant de temps à regarder la télévision.

La ligne décorative créée par une rangée de briques blanches coupe la série des fenêtres supérieures, mais elle délimite la façade, par ailleurs très simple. Avec la surface de briques blanches vernissées située au bas de la façade, elle crée une nouvelle échelle plus grande — trois étages — superposée à l'autre échelle plus petite avec ses six étages, déterminés par les rangées de fenêtres.

301

302

303

304

9. Villa à Chestnutt Hill, Pa., Venturi et Rauch 1962 (305 à 316).

Ce bâtiment tient compte des complexités et des contradictions : il est à la fois complexe et simple, ouvert et fermé, grand et petit; certains de ses éléments sont bons à un niveau donné et mauvais à un autre; l'ordre de la villa s'adapte aux éléments communs à toutes les maisons en général et aux éléments propres à cette maison en particulier. Elle surmonte la difficulté d'unifier un certain nombre de parties diverses plutôt que d'atteindre l'unité en choisissant quelques-unes de ces parties.

Les volumes intérieurs, tels qu'ils sont représentés en plan et en coupe, sont complexes et infléchis dans leurs formes et leurs relations réciproques. Ils correspondent aux complexités propres à un programme domestique aussi bien qu'à quelques bizarreries qui ne sont pas déplacées dans une maison particulière. Par ailleurs la forme extérieure, représentée par le mur à acrotère et le toit à deux pentes qui renferment ces complexités et ces inflexions, est simple et logique : elle représente le côté public de cette maison. La façade, combinant traditionnellement la porte, les fenêtres, la cheminée et le pignon crée une image presque symbolique de la maison.

La contradiction entre l'intérieur et l'extérieur n'est pourtant pas totale : à l'intérieur, le plan, dans son entier, reflète la logique symétrique de l'extérieur; à l'extérieur les ouvertures dans l'élévation reflètent les distorsions accidentelles de l'intérieur. En ce qui concerne l'intérieur, le plan est primitivement symétrique, avec un noyau central vertical d'où partent deux murs diagonaux presque symétriques séparant deux espaces terminaux donnant sur la façade d'un espace central principal situé sur l'arrière. Cette symétrie d'une rigidité presque digne de Palladio est pourtant déformée pour répondre aux exigences particulières des espaces : par exemple la cuisine située à droite, diffère de la chambre à coucher située à gauche.

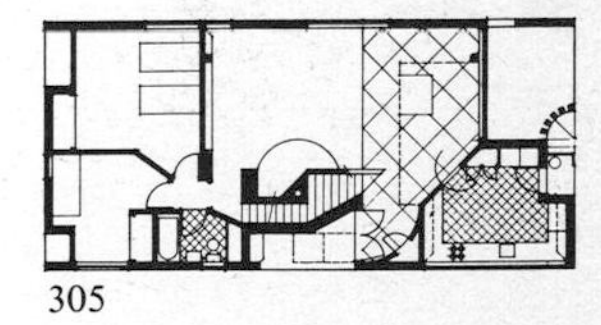
305

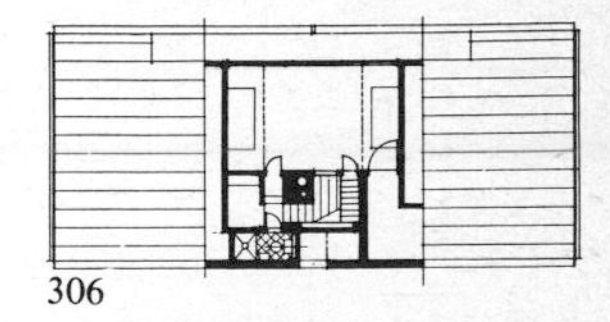
306

Une adaptation d'un genre plus violent apparaît à l'intérieur du noyau central lui-même. Deux éléments verticaux — la cheminée et l'escalier — se disputent la position centrale. Ces deux éléments, l'un essentiellement plein, l'autre essentiellement vide, arrivent à un compromis en ce qui concerne la forme et la position — c'est-à-dire qu'ils s'infléchissent l'un vers l'autre pour créer une unité à partir du double noyau central qu'ils constituent. D'un côté le foyer est déformé et déplacé légèrement vers l'avant, et de même pour la cheminée; d'un autre côté l'escalier se rétrécit brusquement et change de direction à cause de la cheminée.

A ce niveau, le noyau, en tant que centre de la composition, est dominant mais à la base c'est un élément secon-

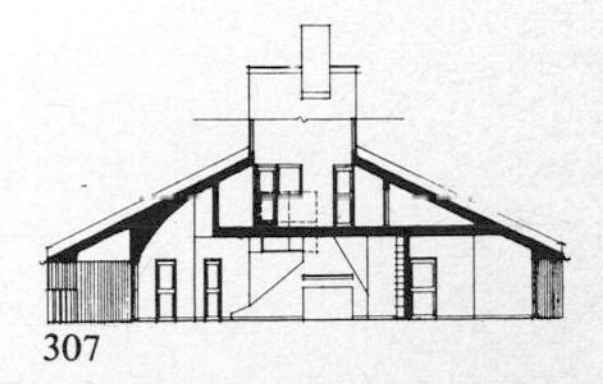
307

308

309

310

311

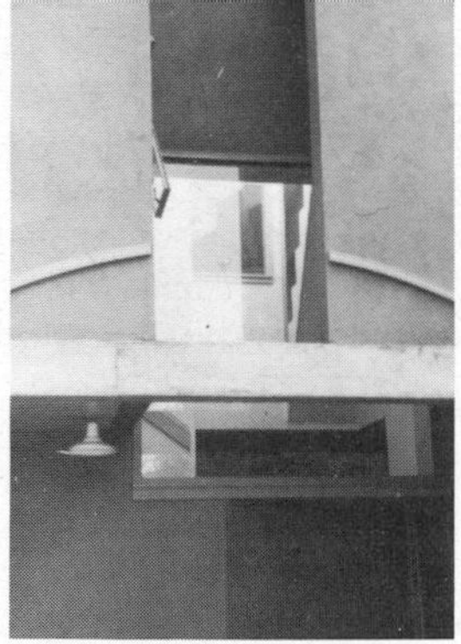
312

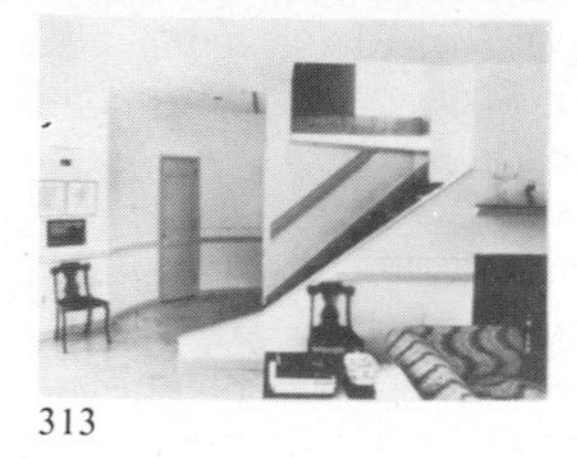
313

314

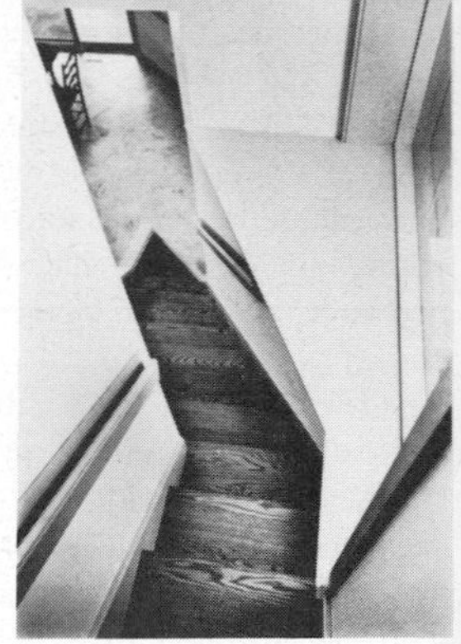
315

daire lui-même dominé par les espaces environnants. Du côté de la salle de séjour il est rectangulaire et parallèle à l'ordonnance rectangulaire qui donne précisement de l'importance à cet espace important. Du côté de la façade il est délimité par un mur oblique qui répond à l'exigence spatiale unique et tout aussi importante de l'entrée, espace intermédiaire entre la grande ouverture extérieure et les portes intérieures. Ici l'entrée, elle aussi, dispute au noyau la position centrale. Considéré isolément, l'escalier dans son espace étriqué est mal fait. Mais si l'on considère sa situation dans la hiérarchie des fonctions et des espaces, c'est un fragment bien ajusté d'un ensemble complexe et contradictoire et, en tant que tel, il est bien. D'un autre point de vue sa forme n'est pas si maladroite. Le bas de l'escalier est fait pour s'asseoir aussi bien que pour monter, et pour y poser des objets en attendant de les monter. Et cet escalier, comme ceux des maisons de style Shingle, nécessite une base plus large correspondant à l'échelle plus grande du rez-de-chaussée. Pareillement, le petit « escalier perdu » du second s'adapte maladroitement à l'espace qui lui est laissé dans le noyau : en un sens il ne va nulle part et est bizarre; d'un autre côté il ressemble à une échelle appuyée contre un mur pour laver les fenêtres supérieures et peindre le lanterneau. Le changement d'échelle de l'escalier à ce niveau contraste avec le changement d'échelle en sens inverse au rez-de-chaussée.

316

Les complexités et les déformations architecturales de l'intérieur se reflètent à l'extérieur. La variété des implantations, des dimensions et des formes des fenêtres et des percements dans les murs extérieurs, comme le décentrement de la cheminée, contredisent la symétrie d'ensemble de la forme extérieure. Sur la façade les fenêtres s'équilibrent de chaque côté de la porte d'entrée qui domine et de l'élément lucarneau-cheminée, et sur l'arrière de chaque côté de la lunette; mais elles sont asymétriques. Les protubérances au-dessus et au-delà des murs extérieurs rigides révèlent aussi la complexité intérieure. Sur la façade et sur l'arrière, les murs comportent un acrotère afin de souligner leur rôle d'écrans par dessus lesquels ces complexités intérieures peuvent faire saillie. Le renfoncement des fenêtres et du porche situés sur les côtés, à tous les coins sauf un, accentue le rôle d'écran des murs avant et arrière de la même manière que les acrotères surmontant ces murs.

Quand je disais que cette maison était à la fois ouverte et fermée, simple et complexe, je parlais des murs extérieurs qui présentent ces caractéristiques contradictoires. En premier lieu les acrotères, le long du mur de la terrasse arrière, accentuent l'impression d'enclos horizontal mais permettent de créer une impression d'ouverture à la hauteur de la terrasse supérieure derrière eux et de la saille du lucarneau-cheminée au-dessus d'eux. En second lieu la forme cohérente des murs en plan accentue l'impression d'enclos rigide, mais les grandes ouvertures souvent précairement proches des angles, contredisent l'impression d'enclos. Cette méthode de construction des murs — murs doubles pour créer le sentiment d'un enclos, mais percés pour donner une impression d'ouverture — est particulièrement évidente au centre de la façade où le mur extérieur se superpose aux deux autres murs qui abritent l'escalier. Sur chacune de ces trois couches sont juxtaposées des ouvertures de tailles et de positions variées. Ici les espaces sont disposés en couches au lieu de s'interpénétrer.

La maison est aussi bien grande que petite; je veux dire par là que c'est une petite maison grande d'échelle. Les différents éléments intérieurs sont grands : le foyer de la cheminée est « trop grand » et son manteau « trop haut » pour la taille de la pièce; les portes sont larges, l'antébois haut placé. On trouve une autre expression des vastes proportions intérieures dans le nombre minimum de subdivisions de l'espace (c'est également par souci d'économie qu'on a réduit le plus possible les espaces affectés uniquement aux circulations). Les éléments extérieurs qui expriment ces grandes dimensions sont les éléments principaux, grands, peu nombreux et occupant des positions centrales ou symétriques, et aussi la simplicité et la cohérence de la forme et de la configuration de l'ensemble, déjà décrits ci-dessus. Sur la façade arrière la lunette est grande et domine de par sa forme et sa position. Sur le devant la loggia de l'entrée, placée au centre, est large et haute. Ses grandes dimensions sont accentuées par le contraste que créent les autres portes plus petites mais de forme similaire, par son étroitesse par rapport à sa hauteur, et par la position ingénieuse de la porte d'entrée située derrière. Le chambranle de bois appliqué sur la porte augmente aussi ses dimensions. Le lambris acroît les proportions du bâtiment par rapport à l'entourage, parce qu'on ne s'attend pas à ce qu'il soit si haut placé. Les moulures modifient aussi les dimensions d'une autre manière : elles rendent l'enduit des murs encore plus abstrait, et plus ambiguës ou moins sûres les dimensions qu'implique normalement la nature des matériaux.

Ces vastes dimensions servent principalement à équilibrer la complexité. La complexité combinée à de petites dimensions dans de petits bâtiments est un signe d'affairement. Comme les autres arrangements complexes de la maison, les grandes dimensions à l'intérieur de ce petit bâtiment créent une tension plutôt qu'une nervosité — tension appropriée à ce genre d'architecture —.

Le site de la maison est un terrain plat, ouvert mais intime, limité par des arbres et des palissades. La maison s'élève presque au milieu, comme un pavillon, sans aucune plantation à proximité. L'allée carrossable est implantée perpendiculairement dans l'axe de la maison, mais son tracé est dévié accidentellement à cause du collecteur principal placé en bordure de la rue. La composition abstraite de ce bâtiment est constituée, en proportions presque égales, d'éléments rectangulaires, obliques et courbes. Les rectangles sont liés à l'ordre parfaitement dominant des espaces en plan et en coupe. Les obliques sont liées à l'espace orienté de l'entrée, aux rapports particuliers des espaces orientés et non-orientés à l'intérieur de l'enclos rigide du rez-de-chaussée, et au toit servant à fermer et à protéger de la pluie. Les courbes sont liées aux besoins d'espace orienté de l'entrée et de l'escalier extérieur, aux besoins d'expression spatiale dans la coupe du plafond de la salle-à-manger contredisant la pente extérieure du toit, et au symbolisme de l'entrée, dont la grandeur d'échelle est due au chambranle placé sur la façade.

Le caractère exceptionnel du plan apparaît dans la fonction porteuse assurée par des poteaux, qui contraste avec le reste de la structure faite de murs porteurs. Ces combinaisons complexes ne créent pas l'harmonie facile obtenue par un petit nombre d'éléments sélectionnés sur la base de l'exclusion — c'est-à-dire sur la base du principe « less is more ». Au contraire elles atteignent à la difficile unité constituée d'un certain nombre d'éléments différents et basée sur l'inclusion et la reconnaissance de la diversité de la vie.

10. Concours pour une fontaine monumentale, Philadelphie Fairmount Park Art Commission, Venturi et Rauch, Denise Scott Brown, 1964 (317 à 322).

Cette fontaine devait être construite au centre d'un terrain libre situé à l'extrémité du Benjamin Franklin Parkway en face du City Hall. Cet îlot fait partie du plan quadrillé du centre de la ville et il est entouré par des rues supportant un trafic local important. Partout alentour, sauf le long de l'axe transversal conduisant au Parkway, a surgi un fouillis de grands immeubles, de bureaux. L'îlot, de forme presque carrée, contenait un pavillon rond : l'Information Center. La disposition du jardin et du dallage, comprenant le bassin de 27 mètres de diamètre pour la fontaine, faisaient partie du programme du concours. Le Benjamin Franklin Parkway est un boulevard d'environ un kilomètre et demi de long qui coupe en diagonale le plan quadrillé de la ville. Il relie City Hall à l'Art Museum et plus loin à Fairmount Park.

En sens inverse il peut être considéré comme un prolongement du parc à l'intérieur de la ville parce que ses arbres et sa verdure créent une ligne ininterrompue depuis le parc lui-même, et que de plus il dépend juridiquement de la Fairmount Park Commission. Le Parkway est une importante voie d'acès pour le centre de la ville et il aboutit sur la

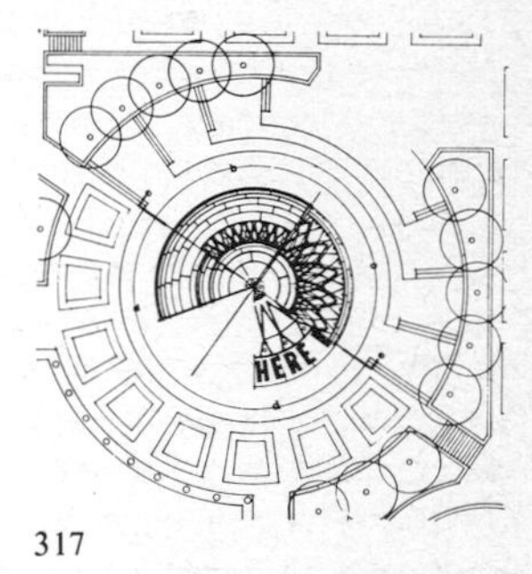

317

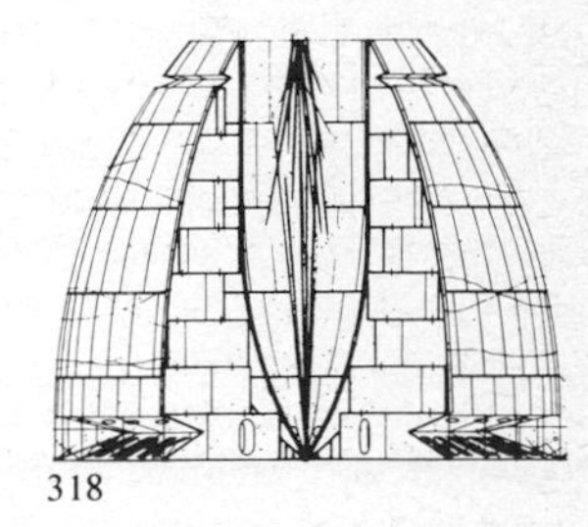
318

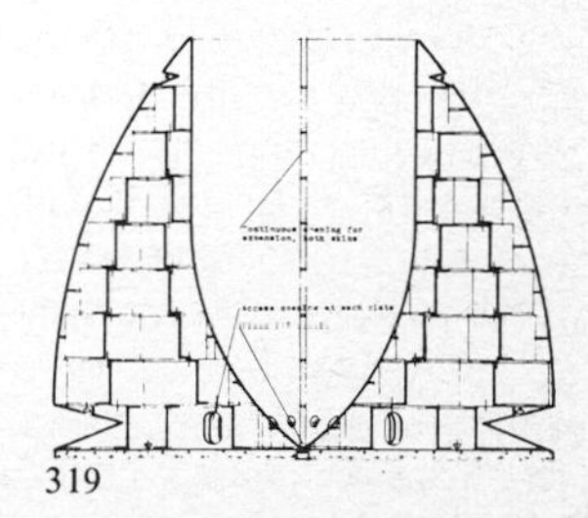
319

forme dominante de City Hall, qui doit servir d'arrière-plan à la fontaine. City Hall est un bâtiment de couleur claire aux proportions vastes et imposantes avec une surface et un profil décorés. Ces caractéristiques d'espace, de forme, d'échelle et de circulation qui constituent le contexte de la fontaine, conditionnent en grande partie sa forme.

Cette forme est puissante et hardie pour trancher sur l'arrière-plan des grands immeubles et de l'espace amorphe, et aussi pour être visible de l'extrémité relativement éloignée du Parkway. Sa forme plastique, sa silhouette courbe et sa surface lisse s'opposent aussi hardiment aux dessins rectangulaires et compliqués des immeubles alentour, bien qu'elles soient analogues aux toitures de certaines mansardes du City Hall. On s'est refusé à créer ici une fontaine baroque complexe visible seulement de très près ou d'une voiture bloquée dans les embouteillages.

Mais c'est le mouvement de l'eau, en même temps que le contexte environnant, qui déterminent les particularités de la forme sculptée. L'échelle des jets d'eau est liée à celle de la sculpture. Le jet central du Parkway a 20 mètres de haut et il est fonction de l'échelle et de la perspective du Parkway. Le jet continu est protégé des vents dominants par la surface intérieure concave de la sculpture. Il n'est exposé que du côte du Parkway et il se détache sur la couleur sombre de l'intérieur du monument. De presque tous les points de la place on ne voit que les reflets du jet principal à l'intérieur de sa grotte artificielle brumeuse et moussue. Les grandes plaques de protection en aluminium sont comparables aux petits losanges de verre qui protègent contre les courants d'air la flamme de certains anciens candélabres.

Si la surface interne du monument est concave pour répondre à la grande dimension du jet d'eau, par contre la surface extérieure est convexe pour être en accord avec les petites dimensions des jeux d'eau extérieurs. Ceux-ci sont constitués par un filet d'eau continu qui, partant d'un réservoir situé à proximité du sommet, dégouline sur la surface pour tomber goutte à goutte de l'arête inférieure dans le bassin. On lit la légende *Ici commence Fairmount Park* à travers un rideau de gouttelettes. Ces jeux d'eau avec les lettres brillantes qui s'étendent sur la surface inclinée de la base sont à l'échelle de l'individu marchant autour de la place toute proche et sont destinés à attirer son attention.

Écrire sur les monuments est une tradition. Ici la légende désigne la théâtrale pénétration du plus grand parc urbain du monde jusqu'au cœur de la ville. Quand on lit l'inscription en se plaçant face au monument, on n'aperçoit que les mots *Ici Park,* ce qui n'est pas déplacé pour un monument construit sur un parking souterrain.

Le jet central est violemment éclairé par des lampes à quartz encastrées dans la base. En hiver, quand il n'y a pas de jet d'eau, des lampes à incandescence avec des lentilles jaunes

320

321

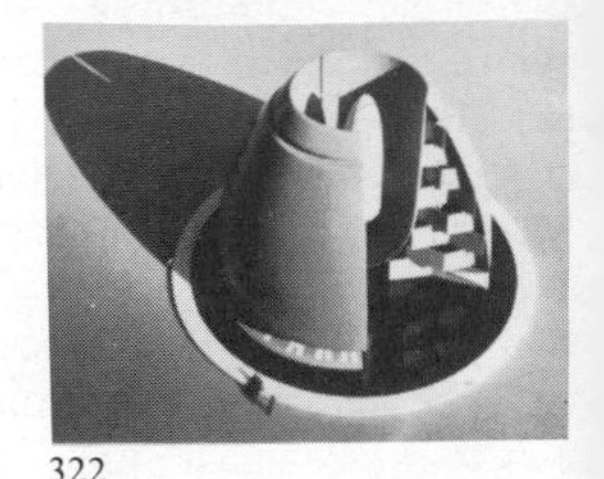

322

inondent de lumière jaune l'enchevêtrement rectangulaire de la structure comprise entre les deux parois. L'espace central reste alors dans l'ombre. La base inclinée est éclairée par des lampes à incandescence munies de lentilles jaunes. Ce ruban de lumière ininterrompu fait contraste avec la masse sombre et indistincte qui se dessine au-dessus, et de près illumine l'inscription.

Le monument est en aluminium afin d'en diminuer la charge sur les poutres du garage souterrain. Sa surface est décapée pour obtenir un fini gris, sombre, mat et chaud. Les feuilles d'aluminium sont soudées mais les joints n'en sont pas écachés; la peau recouvre une structure faite de plaques pliées et empilées (ayant un profil en Z) qui jouent à la fois le rôle de barres d'espacement entre les profils intérieurs et extérieurs non parallèles et celui d'entretoisement solidaire comme on trouve une structure ondulée quand on coupe un carton d'emballage. La structure géométrique des plaques internes est angulaire; elle touche les plaques extérieures curvilignes aux points de soudure. Ce remplissage aéré est visible dans les ouvertures du monument, devant et derrière. Pour le personnel chargé de l'entretien on a ménagé dans les plaques inférieures une série de trous d'homme verticaux. Ils donnent une échelle en contradiction avec les proportions monumentales de l'ensemble.

L'échelle de cette fontaine est grande et petite et sa structure tient de la sculpture et de l'architecture; elle est à la fois similaire et contradictoire à son contexte , orientée et non-orientée, curviligne et angulaire; enfin le plan en a été tracé de l'intérieur vers l'extérieur et de l'extérieur vers l'intérieur.

11. Trois bâtiments pour une ville de l'Ohio, Venturi et Rauch, 1965 – (323 à 347).

Ces trois bâtiments pour une ville de l'Ohio sont une Mairie, un Centre pour la Young Men's Christian Association et une Bibliothèque publique ou plutôt l'extension d'une bibliothèque déjà existante. D'un point de vue urbain, ces bâtiments ont des rapports les uns avec les autres et avec le centre de la ville dont ils font partie. Ils font partie de la première tranche d'une opération de rénovation du centre de la ville, dont le plan a été confié à des urbanistes sous la responsabilité desquels nous avons travaillé.

La mairie : la mairie ressemble à un temple romain par ses proportions générales, et aussi parce qu'elle est isolée, mais contrairement au temple grec c'est un bâtiment orienté dont la façade est plus importante que l'arrière. Au socle du temple, à ses colonnes géantes et au fronton de son portique, correspond le mur en partie évidé de la façade de la mairie avec son arche géante se détachant en avant d'un mur de trois étages. J'aime beaucoup l'arc géant que Sullivan utilise pour donner de la vie, de l'unité et des proportions monumentales à quelques-unes de ses dernières banques — qui sont des bâtiments importants mais de petite taille situés dans la grand'rue de villes du Middle West. De même le changement d'échelle et de proportions sur la façade de la mairie est analogue aux fausses façades des villes de l'Ouest et pour la même raison : tenir compte des exigences spatiales urbaines de la rue. Mais ce bâtiment occupe simultanément deux sites. Outre sa position de bâtiment important, bien que plutôt petit, situé dans la Grand'Rue, il est également placé au sommet de l'axe longitudinal de la grande place centrale sur laquelle débouche la Grand'Rue. Pour l'observateur situé dans la Grand'Rue le bâtiment repose directement sur le sol et son rez-de-chaussée semble lui servir de base et faire corps avec lui, mais de la place, qui est plus basse que la Grand' Rue, le rez-de-chaussée est masqué, en perspective, par la hauteur et la largeur de la rue qui passe juste devant lui, et par les emmarchements qui y conduisent — ceux-ci apparaissant, en quelque sorte, comme la base du bâtiment. Dans ce cas, l'arcade de la façade semble jaillir directement de cette autre base aux dimensions plus grandes. Le même bâtiment vu dans un contexte différent est perçu de manière différente.

La contradiction d'échelle et de caractère entre l'avant et l'arrière du bâtiment découle du programme intérieur particulier aussi bien que du site urbain extérieur. La dichotomie existant dans une mairie entre les espaces monumentaux réservés au maire et au conseil municipal d'une part, et les bureaux ordinaires affectés aux services administratifs d'autre part, se traduit souvent par une articulation explicite entre un pavillon (pour les premiers) relié à une barre de bureaux (pour les seconds) — composition rappelant le Pavillon Suisse ou peut-être l'immeuble de l'Armée du Salut. Il y a peut-être une autre approche qui consiste à s'appuyer sur une autre composition de Le Corbusier, celle de la Tourette, qui semble incomplète mais est essentiellement fermée. Mais notre plan pour une petite mairie englobe ces deux sortes d'espaces à l'intérieur d'une enveloppe relativement simple au bénéfice de l'échelle et de l'économie. (le maire voulait « un bâtiment en maçonnerie, carré et raisonnable »). Les pièces monumentales et solennelles situées dans le haut de la partie frontale sont uniques en leur genre et immuables — la croissance de la ville ajoutera seulement quelques conseillers municipaux de plus et il n'y aura jamais plus d'un maire — alors que les espaces de l'arrière affectés aux bureaux avec leur petite échelle et leurs dimensions relativement vastes et flexibles, sont extensibles : on peut les prolonger vers l'arrière. Ceci est un bâtiment ouvert sur l'arrière parce que la bureaucratie ne cesse de croître. Entre l'avant et l'arrière se trouve une zone commune affectée aux circulations verticales et aux locaux de

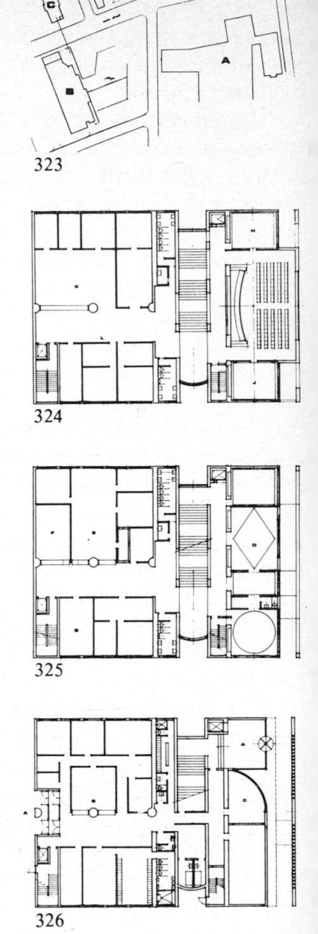

323
324
325
326

service. Au rez-de-chaussée se trouvent : à l'arrière les services de l'état civil, et sur la façade l'entrée principale. On présume que le public fréquentera de moins en moins les mairies, de sorte que les bureaux de paiement et de renseignements ne sont pas au rez-de-chaussée. Vues de côté, la série des petites fenêtres à l'arrière et la plus grande hauteur de la façade principale et de son doublage, expriment aussi les variations de fonction à l'intérieur. La structure est constituée par des murs porteurs en béton formant des zones parallèles ou perpendiculaires reliées par des poutres de béton. A l'arrière on trouve, au centre, une colonne intérieure, qui permet une plus grande souplesse à l'intérieur des murs porteurs. La galerie ou le large corridor qui en résulte convient aux bureaux destinés à recevoir du public. En effet les murs porteurs étant en béton les ouvertures peuvent être très grandes. Le revêtement est en brique noire similaire, mais non identique, à celui de la grande usine du centre de la ville. Le mur écran de la façade est couvert de fines plaques de marbre blanc pour accentuer le contraste entre la façade et l'arrière du bâtiment. Sur la façade la superposition de la grande arcade aux petites fenêtres placées en arrière, disparait au niveau de la salle du conseil municipal au deuxième étage, où toute la façade est dans un même plan. Les proportions de la fenêtre correspondent alors à l'échelle du mur-écran frontal. Il s'agit d'une glace d'un seul tenant d'environ huit mètres sur neuf. L'énorme drapeau est perpendiculaire à la rue afin d'être vu dans l'axe de la rue comme une enseigne commerciale.

Le centre de l'Y.M.C.A. : ce bâtiment suit fidèlement le programme traditionnel complexe et plus ou moins explicite, d'aménagement intérieur d'un centre Y.M.C.A. de cette taille. Peuvent être considérés comme nos innovations : le terrain réservé aux installations sportives derrière le bâtiment, les espaces sociaux à l'étage du côté de la façade, la construction de vastes vestiaires au-dessus du niveau du soubassement, et quelques particularités dues à le pente du terrain parallèle au grand côté du bâtiment, et à la nécessité d'accéder depuis le parking et le centre commercial projeté, situés à l'arrière du bâtiment, aussi bien que de la place située devant lui. En effet la situation du bâtiment sur un des côtés de la place, face à une importante usine existante, a beaucoup joué dans la détermination de son aspect extérieur.

Le bâtiment devait avoir une échelle assez grande pour équilibrer l'usine qui lui faisait face sans en être écrasé. Ceci fut obtenu par la taille, le nombre et les rapports réciproques des éléments de la façade. Les percements dans le mur furent grands et peu nombreux pour accroître l'échelle. Le rythme des ouvertures, qui sont les éléments dominants de la façade, est relativement régulier sans convergence vers le centre, ni prépondérance aux extrémités. Cette particularité confère aussi au bâtiment une échelle et une unité plus grandes.

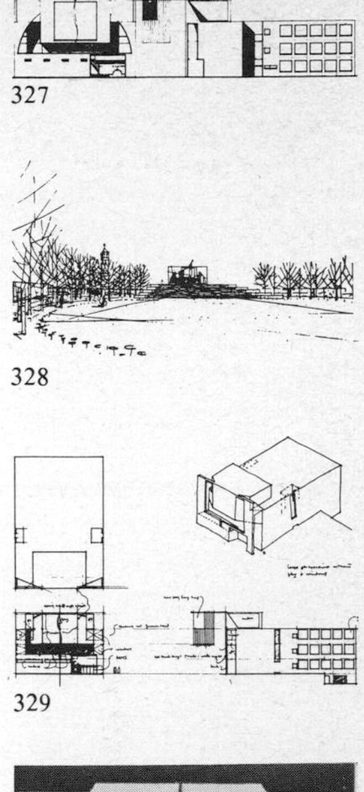
327

328

329

330

331

On ne voit pas dans sa composition extérieure un début, un milieu et une fin qui constitueraient trois objets distincts; il n'y a qu'un ensemble continu né du rythme régulier et même ennuyeux. De ce point de vue il peut rivaliser avec l'usine d'en face qui forme un ensemble plus grand mais dont chacun des éléments est plus petit. Et comme il convient, il est moins important que le petit hôtel de ville situé sur un autre côté de la place. La facade, comme celle de l'hôtel de ville, est « fausse » – c'est un mur complétement détaché – et elle contredit l'espace intérieur. On a créé un jeu de rythmes en superposant le rythme presque régulier de cette espèce de grille aux rythmes plus petits et plus irréguliers des deux étages du bâtiment proprement dit. Une superposition en contrepoint oppose l'« ennui » de la fausse façade au « chaos » de la deuxième façade par lequel se reflètent les complexités accidentelles de l'intérieur. Le mur frontal délimite à gauche une zone intermédiaire entre le bâtiment et la place, pour les patineurs de l'hiver, et il contient pour eux à droite, là où il devient mur de soutènement, une niche extérieure avec une cheminée; enfin il crée une longue rampe dans l'axe de l'église de la Grand' Rue. La structure est faite de murs porteurs en béton, ce qui permet de grandes ouvertures proches les unes des autres : ils sont en effet construits comme des poutres alvéolées. La brique sombre établit un lien avec l'usine et accentue l'unité de la place et du centre de la ville.

L'extension de la bibliothèque : le programme intérieur est presqu'entièrement traditionnel. Notre méthode consista non pas à étendre le bâtiment existant, fait de briques jaune clair, mais à l'envelopper à l'arrière et du côté Nord avec de nouveaux espaces intérieurs et sur la façade avec un mur indépendant délimitant un espace résiduel servant de cour. L'ancien bâtiment est recouvert mais modifié le moins possible pour des raisons d'économie. Le mur-enveloppe par son échelle importante et sa brique sombre accentue l'unité de la Grand'Rue. Par les grandes ouvertures en forme de grille du nouveau mur frontal, on aperçoit l'ancien bâtiment, plus léger et aux dimensions plus petites, de sorte que son architecture est respectée. De tout près le nouveau se superpose à l'ancien.

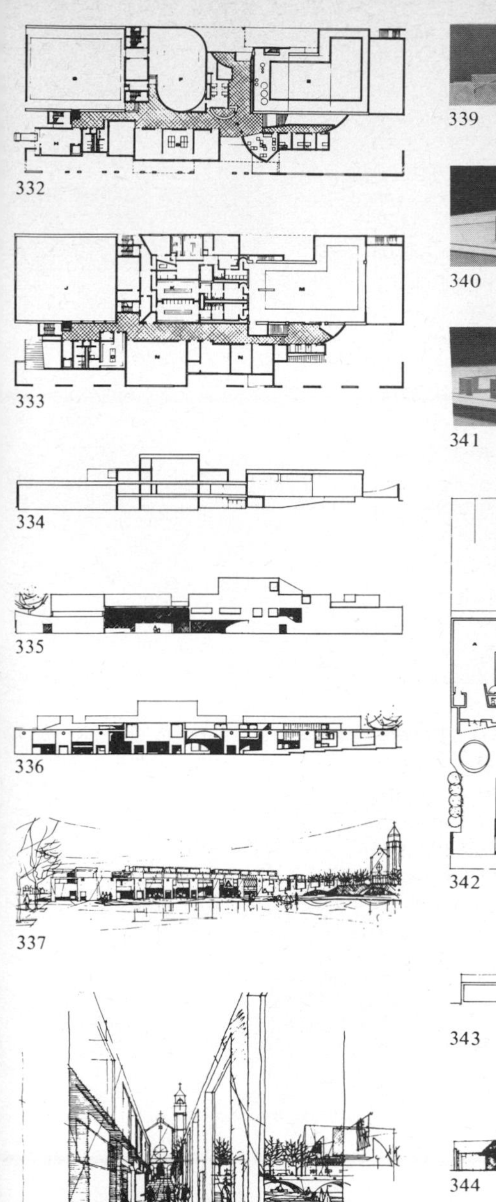

332

333

334

335

336

337

338

339

340

341

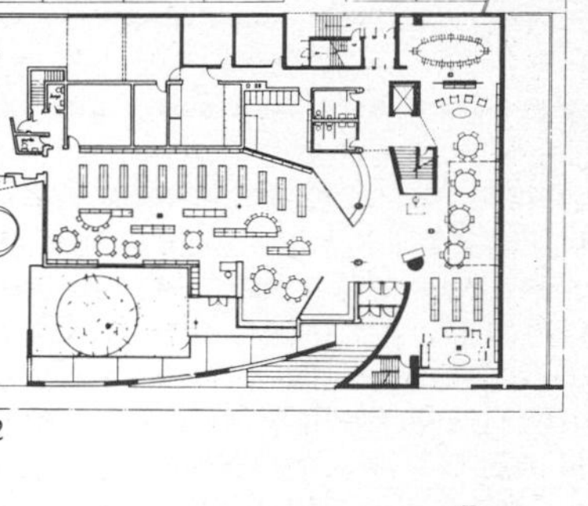

342

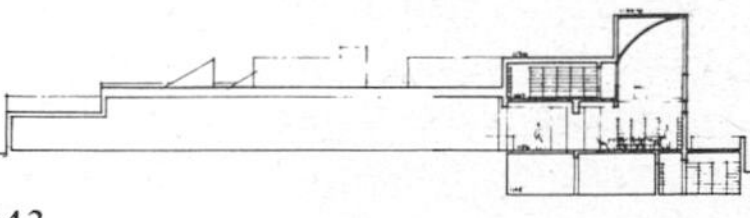

343

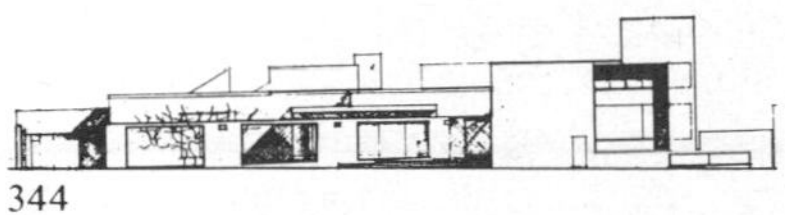

344

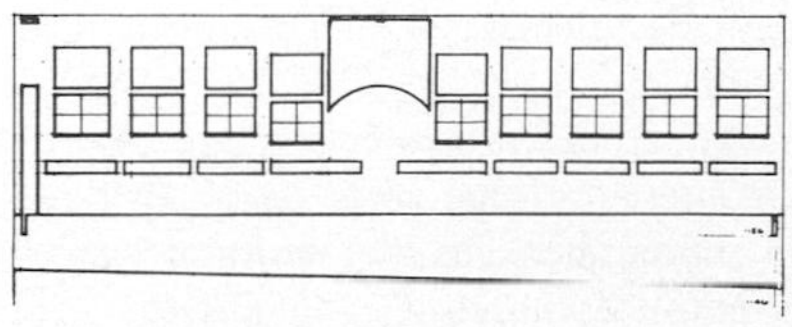

345

12. Concours pour Copley Square, Venturi et Rauch, Gerod Clark et Arthur Jones, 1966 (348 à 350).

346

347

En tant que grand espace ouvert d'une ville américaine, Copley Square à Boston est presque entièrement cerné : au Sud par l'hôtel, à l'Ouest par la Bibliothèque Publique, à l'angle Nord-Ouest par la nouvelle église d'Old South Church et au Nord par la rangée d'immeubles commerciaux. Mais l'angle ouvert au Sud-Ouest, là où doit déboucher en oblique Huntington Avenue, et l'angle fuyant vers le Sud-Est entre Trinity Church et Copley Plaza, tendent à affaiblir le sentiment d'enclos. Et vers l'Est l'espace est clos d'une manière ambiguë par Trinity Church elle-même qui fait partie du square plus qu'elle ne le délimite. Les hauteurs, les rythmes et les échelles différentes de ces bâtiments, aussi bien que les rues qui les séparent du centre de l'espace, contribuent à diminuer l'unité spatiale du square actuel.

Les règles du concours limitaient l'espace à traiter au volume délimité par les trottoirs intérieurs des trois rues et par l'allée en biais qui longe le côté Nord-Est de Trinity Church; nous ne pouvions bien sûr ni changer ni prévoir aucune modification des bâtiments disparates entourant la place.

Aussi avons-nous fait le contraire d'une place; nous avons rempli le volume afin de le définir.

Nous l'avons rempli avec une matière non compacte, avec un grillage d'arbres à la fois continu et riche. Ces arbres sont trop éloignés les uns des autres pour constituer un bosquet traditionnel, mais trop denses pour passer inaperçus. Quand on traverse le square, ils sont assez loin les uns des autres pour filtrer plus ou moins la lumière et pour dissimuler l'église de manière à piquer la curiosité (il faut faire un effort pour en voir la grande façade); mais vus de l'extérieur, le long des rues, ils constituent une masse compacte qui délimite l'espace et identifie la place. Cependant leur forme d'ensemble, (à la différence de notre projet de fontaine pour Philadelphie dont le contexte était tout autre), n'est pas une forme sculpturale placée dans un espace, parce que cela concurrencerait Trinity Church. C'est un ensemble dont le motif tridimensionnel se répète sans qu'il y ait d'élément suffisamment accentué dans l'ensemble de la composition. Dans le contexte de la grille continue et « ennuyeuse », les bâtiments chaotiques du côté Nord, vus de l'intérieur du square, deviennent des éléments « intéressants » et essentiels dans la composition.

Outre la mosaïque des arbres et des hauts lampadaires, il y a un niveau inférieur : une sorte de quadrillage fait de buttes bordées d'emmarchements d'environ un mètre vingt de haut et placées entre les allées. Ce quadrillage rappelle en plus petit le plan quadrillé du quartier de Boston entourant Copley Square. Il imite la hiérarchie des rues, grandes, petites

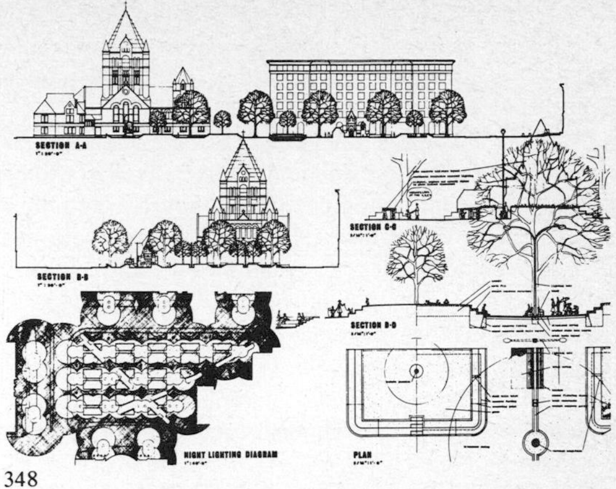
SECTION A-A
SECTION B-B
SECTION C-C
SECTION D-D
NIGHT LIGHTING DIAGRAM
PLAN
348

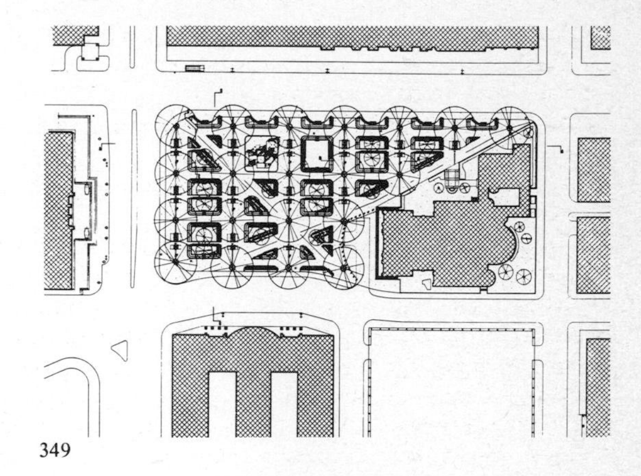
349

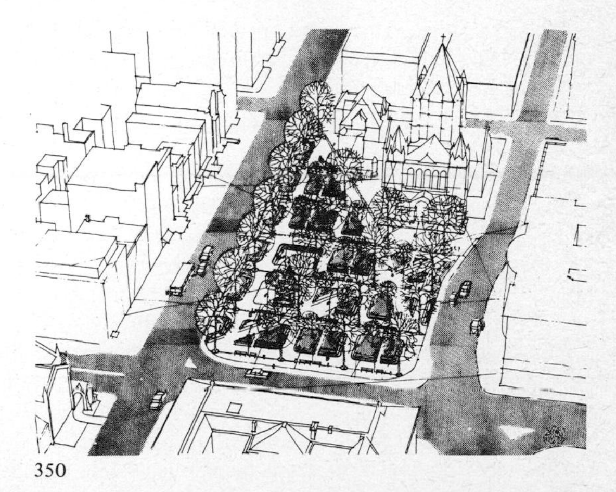
350

et moyennes, que l'on trouve dans la ville réelle. Comme dans la réalité le quadrillage est recoupé par des « avenues » diagonales qui facilitent la circulation et dont la superposition crée des îlots résiduels exceptionnels.

A l'intérieur des îlots du quadrillage inférieur sont disposés d'autres motifs faits de bancs, de corbeilles à papiers et de fossés d'écoulement régulièrement répartis dans la grille des arbres et des lampadaires. Ce mobilier, ainsi que les lampadaires, est fait d'objets conventionnels auxquels on a donné une nouvelle valeur par un nouveau contexte. Ces éléments « vulgaires » n'ont pas été dessinés spécialement; ils sont seulement choisis avec soin. (Comparez ces lampadaires en aluminium avec les élégants lampadaires exotiques couleur bronze, en aluminium anodisé, que l'on trouve autour des pelouses de New Haven). De la même manière les matériaux sont simples à l'exception des précieuses zones carrelées sous les bancs qui font ressortir la banalité des allées goudronnées, des emmarchements, des caniveaux et des fossés d'écoulement préfabriqués en béton. On n'a fait pousser d'herbe qu'au sommet des buttes, là où elle sera le moins dégradée. Des rangées de fleurs placées au sommet des buttes, bordent les allées diagonales pour les élargir visuellement. Là où on a coupé à travers les îlots, des chansons enfantines sont gravées vigoureusement dans le béton des murets de soutènement, pour susciter l'intérêt des enfants qui ne peuvent pas voir par-dessus les buttes.

La grille des arbres, des lampadaires et du mobilier urbain et le quadrillage hiérarchisé des allées ne sont pas en phase le long des axes Nord-Sud. Ces légères irrégularités de rythme contrastent avec les violentes irrégularités que crée la superposition des avenues diagonales au quadrillage des allées, irrégularités qui se manifestent comme je l'ai dit, dans les îlots résiduels fragmentaires aux formes triangulaires et polygonales. En effet, du fait de cette superposition en contrepoint des diagonales et des îlots tronqués en bordure du square il ne reste presque aucun îlot-type régulier. Et parmi ceux-ci deux font exception. L'un est inversé : c'est-à-dire qu'il est en creux exactement de la même manière que les autres sont en relief; on a obtenu ainsi une petite place où l'on peut s'asseoir qui contraste avec les allées banales le long desquelles on s'assied; l'autre est de plain-pied pour recevoir une réplique miniature de Trinity Church. Les îlots tronqués le long du côté Nord ont été creusés de niches où l'on peut s'asseoir et constituent des exceptions supplémentaires.

Ce jeu d'exceptions, qui contredisent l'ordre de manière tantôt violente tantôt légère, crée à l'intérieur du quadrillage une intensité qui contredit la monotonie du tracé. Il y a aussi un jeu de dimensions qui confère au tracé une certaine majesté, une ambiguïté et une tension. Il est fait de relations particulières de tailles et de proportions. La superposition d'allées de différentes tailles crée dans le quadrillage des îlots de taille différente mais de proportions identiques, et la combinaison des arbres, un grand et deux petits, à l'intérieur de la grille, tend à créer des relations similaires entre éléments de taille différente mais de proportions identiques. (Cette idée est absolument condamnée par les architectes modernes orthodoxes qui affirment que tout changement de taille implique un changement de proportions afin d'exprimer le fondement exclusivement structurel des formes et des proportions. A l'extrême opposé Jasper Johns superpose dans ses tableaux des drapeaux aux proportions traditionnelles mais de différentes tailles, grands, petits et moyens). Les essences des arbres ont été choisies dans cette optique : la forme du platane adulte, qui a environ vingt mètres de haut, est similaire en proportion à celle du Scholar Tree adulte, qui a environ huit mètres de haut. L'élément qui illustre cette idée de la manière la plus claire est la réduction de Trinity Church moulée en béton face à Trinity Church.

Il y a une autre raison pour justifier cette réplique et celle du quadrillage des rues – une raison différente de celles que l'on a déjà mentionnées concernant l'ambiguïté, l'intensité, l'échelle et le caractère monumental : la réduction permet d'expliquer l'ensemble dans lequel on est mais qu'on ne peut voir en entier. Tranquilliser l'individu en rendant ainsi l'ensemble compréhensible malgré une vue partielle, contribue à créer un sentiment d'unité à l'intérieur d'un ensemble urbain complexe. Cette sorte de copie ou réduction est en fait une imitation d'un aspect de la vie. Condenser l'expérience pour la rendre plus intense, en un mot faire semblant, est une caractéristique du jeu : les enfants jouent au papa et à la maman; les adultes jouent au Monopoly. Dans ce square on a simulé la circulation et l'espace urbains. De plus la petite église est une sculpture-jouet pour les enfants.

Une autre caractéristique du jeu, qui manque dans les espaces urbains dessinés par des architectes modernes, c'est la possibilité du choix et de l'improvisation : c'est-à-dire que les gens devraient pouvoir utiliser les mêmes espaces de plusieurs manières différentes, y compris certaines utilisations pour lesquelles ces espaces n'ont pas été explicitement dessinés. Soit par la forme, soit par l'échelle, le plan quadrillé d'une ville ou du parcellaire rural dans le mid-west américain, ou la salle hypostyle d'une mosquée du Caire ou de Cordoue, permettent l'improvisation et la variété des utilisations. Dans une demeure victorienne, il y a probablement plus de façons de se servir du riche escalier qu'il n'y a de manières de marcher ou d'être assis dans un square moderne type. Quand la forme découle explicitement de la fonction, les possibilités de fonctions implicites décroissent. Il y a probablement plus d'utilisations possibles de ce square, qui n'est « qu'un quadrillage », qu'il n'y en a dans ceux qui sont intéressants, pleins de sensibilité et humains. Plus important encore, il y a plus de manières de le *voir*. Il ressemble au dessin compliqué d'un plaid écossais. D'une certaine distance c'est un dessin qui se répète sur l'ensemble, – d'une grande distance effectivement ce n'est plus qu'une simple tache de couleur – mais de près ce sont des motifs, une texture, une échelle et des couleurs compliqués, variés et riches. (Dans notre plaid spatial il y a la dimension supplémentaire dont j'ai déjà parlé créée par les exceptions légères et violentes). C'est une question d'optique : en se déplaçant autour de la composition et à travers elle, on peut voir des choses et des relations de manières différentes. On a la possibilité de voir la même chose de diverses manières, une chose ancienne d'une manière nouvelle. Pas plus qu'il n'y a d'élément unique constamment prédominant – par exemple une fontaine, le miroir d'un bassin ou même la grande église elle-même – on ne peut avoir de vision statique lorsqu'on se déplace à l'intérieur ou autour du square. On y trouve une variété d'optiques ou plutôt la possibilité de changer d'optique. Le paradoxe essentiel de ce plan est que son tracé monotone est intéressant.

Les violentes juxtapositions de visions floues et nettes découlent des niveaux de relations qui se rapportent plus ou moins à l'ensemble, ou, dans des compositions complexes, à des ensembles à l'intérieur d'autres ensembles. Ces relations changeantes dans des ensembles complexes créent des types d'unité complexes dont certaines relations intérieures immédiates impliquent un manque d'unité incontestable. Toutes les relations ne sont pas toujours parfaites. Je pense que les bâtiments liés sont la huitième béquille de l'architecture moderne dont Philip Johnson aurait pu tenir compte. Des bâtiments comme Trinity Church et la Bibliothèque Publique de Boston n'ont pas à être « liés » d'une manière simple et évidente. Et ils ne doivent pas l'être parce que dans leurs relations ils ne s'adressent pas uniquement à l'aménagement intérieur de la place, mais doivent s'adresser à des ensembles plus grands extérieurs à eux et à leur entourage immédiat. Notre petit quadrillage, comme le dessin du plaid, devient, à une certaine distance, une grande tache de couleur à cause de la densité qu'elle acquiert vue à ce niveau d'observation : il n'est pas toujours lié par la proximité ou le détail aux beaux immeubles qui l'entourent. Richardson et McKim, Mead et White n'ont pas besoin de ce genre d'hommage explicite.

Une autre béquille de l'architecture Moderne est l'inévitable piazza, produit de notre légitime amour pour les villes italiennes. Mais la piazza ouverte est rarement appropriée, de nos jours, à une ville américaine, sinon en tant que commodité permettant aux piétons de couper en diagonale. La piazza, en fait, est « non-américaine ». Les Américains ne se sentent pas à l'aise quand ils sont assis dans un square : ils devraient être en train de travailler au bureau ou à la maison en train de regarder la télévision avec toute la famille. Le train-train domestique quotidien ou la sortie dominicale en voiture ont remplacé la promenade. La place traditionnelle sert à l'usage collectif aussi bien qu'individuel, et les cérémonies publiques impliquant une foule sont même plus difficiles à imaginer dans Copley Square que les promenades. C'est pourquoi notre square n'est pas un espace ouvert pour acueillir des foules qui n'existent pas (les places vides ne sont mystérieuses que dans les premières œuvres de Chirico), mais pour répondre aux besoins de l'individu qui marche tranquillement dans le labyrinthe et s'assied le long des rues plutôt que sur une piazza. Nous avons l'habitude de penser que l'espace ouvert est précieux dans la ville. Il ne l'est pas. Sauf peut-être à Manhattan, nos villes ont trop d'espaces ouverts avec parkings omniprésents, avec les déserts soi-disant provisoires créés par la Rénovation Urbaine et avec les banlieues informes qui les entourent.

Notes

1 T. S. Eliot : *Selected Essays, 1917-1932,* Harcourt, Brace and Co., New York, 1932; p. 18; trad. française : *Essais choisis,* Ed. du Seuil).
2 *Ibid.;* pp. 3-4.
3 Aldo van Eyck : in *Architectural Design 12,* vol. XXXII, December 1962; p. 560.
4 Henry-Russell Hitchcock : in *Perspecta 6, The Yale Architectural Journal,* New Haven, 1960; p. 2.
5 *Ibid.;* p. 3.
6 Robert L. Geddes : in *The Philadelphia Evening Bulletin.* February 2, 1965; p. 40.
7 Sir John Summerson : *Heavenly Mansions,* W. W. Norton and Co., Inc., New York, 1963; p. 197.
8 *Ibid.;* p. 200.
9 David Jones : *Epoch and Artist,* Chilmark Press, Inc., New York, 1959; p. 12.
10 Kenzo Tange : in *Documents of Modern Architecture,* Jurgen Joedicke, ed., Universe Books, Inc., New York, 1961; p. 170.
11 Frank Lloyd Wright : in *An American Architecture,* Edgar Kaufmann, ed., Horizon Press, New York, 1955; p. 207.
12 Le Corbusier : *Vers une Architecture,* Paris 1923; trad. anglaise : *Towards a New Architecture,* The Architectural Press, London, 1927; p. 31.
13 Christopher Alexander : *Notes on the Synthesis of Form,* Harvard University Press, Cambridge, 1964; p. 4; trad. française : *De la Synthèse de la Forme, essai,* Dunod, 1970.
14 August Heckscher : *The Public Happiness,* Atheneum Publishers, New York, 1962; p. 102.
15 Paul Rudolph : in *Perspecta 7, The Yale Architectural Journal,* New Haven, 1961; p. 51.
16 Kenneth Burke : *Permanence and Change,* Hermes Publications, Los Altos, 1954; p. 107.
17 Eliot, *op. cit.;* p. 96.
18 T. S. Eliot : *Use of Poetry and Use of Criticism,* Harvard University Press, Cambridge, 1933; p. 146.
19 Eliot : *Selected Essays, 1917-1932, op. cit.;* p. 243.
20 *Ibid.;* p. 98.
21 Cleanth Brooks : *The Well Wrought Urn,* Harcourt, Brace and World, Inc., New York, 1947; pp. 212-214.
22 Stanley Edgar Hyman : *The Armed Vision,* Vintage Books, Inc., New York, 1955; p. 237.
23 *Ibid.;* p. 240.
24 William Empson : *Seven Types of Ambiguity,* Meridian Books, Inc., New York, 1955; p. 174.
25 Hyman, *op. cit.;* p. 238.
26 Brooks, *op. cit.;* p. 81.
27 Wylie Sypher : *Four Stages of Renaissance Style,* Doubleday and Co., Inc., Garden City, 1955; p. 124.
28 Frank Lloyd Wright : *An Autobiography,* Duell, Sloan and Pearce, New York, 1943; p. 148.
29 Eliot : *Selected Essays, 1917-1932, op. cit.;* p. 185.

30 Brooks, *op. cit.;* p. 7.
31 Burke, *op. cit.;* p. 69.
32 Alan R. Solomon : *Jasper Johns,* The Jewish Museum, New York, 1964; p. 5.
33 James S. Ackerman : *The Architecture of Michelangelo,* A. Zwemmer, Ltd., London, 1961; p. 139.
34 Siegfried Giedion : *Space, Time and Architecture,* Harvard University Press, Cambridge, 1963; p. 565; trad. française : *Espace, temps, architecture,* La Connaissance s. a. Bruxelles 1968.
35 Eliel Saarinen : *Search for Form,* Reinhold Publishing Corp., New York, 1948; p. 254.
36 Van Eyck, *op. cit.;* p. 602.
37 Frank Lloyd Wright : *Modern Architecture,* Princeton University Press, Princeton, 1931. (front end paper).
38 Horatio Greenough : in *Roots of Contemporary American Architecture,* Lewis Mumford, ed., Grove Press, Inc., New York, 1959; p. 37.
39 Henry David Thoreau : *Walden and Other Writings,* The Modern Library, Random House, New York, 1940; p. 42, édition bilingue français-anglais : *Walden ou la vie dans les bois* (Garnier).
40 Louis H. Sullivan : *Kindergarten Chats,* Wittenborn, Schultz, Inc., New York, 1947; p. 140.
41 *Ibid.;* p. 43.
42 Le Corbusier, *op. cit.;* p. 11.
43 Gyorgy Kepes : *The New Landscape,* P. Theobald, Chicago, 1956; p. 326.
44 Van Eyck, *op. cit.;* p. 600.
45 Heckscher, *op. cit.;* p. 287.
46 Herbert A. Simon : in *Proceedings of the American Philosophical Society,* vol. 106, no. 6, December 12, 1962; p. 468.
47 Arthur Trystan Edwards : *Architectural Style,* Faber and Gwyer, London, 1926; ch. III.
48 Ackerman, *op. cit.;* p. 138.
49 Fumihiko Maki : *Investigations in Collective Form,* Special Publication No. 2, Washington University, St. Louis, 1964; p. 5.
50 Heckscher, *op. cit.;* p. 289.

Crédits photographiques

1. © Ezra Stoller Associates.
2. Alexandre Georges.
3. Heikki Havas, Helsinki.
4. Ugo Mulas, Milan.
5. The Museum of Modern Art.
6. © Country Life.
7. Reproduced by permission of Roberto Pane from his book, *Bernini Architetto,* Neri Pozza Editore, Venice 1953.
8. From Walter F. Friedländer, "Das Casino Pius des Vierten," *Kunstgeschichtliche Forschwangen,* Band III, Leipzig 1912.
9. © Country Life.
10. A. Cartoni, Rome.
11. Harry Holtzman.
12. The Museum of Modern Art.
13. Reproduced by permission of Penguin Books Ltd., Harmondsworth-Middlesex, from John Summerson, *Architecture in Britain, 1530-1830,* Baltimore 1958.
14. Reproduced by permission of Henry A. Millon from his book, *Baroque and Rococo Architecture,* George Braziller, New York 1965.
15. Reproduced by permission of Country Life Ltd., London, from A.S.G. Butler, *The Architecture of Sir Edwin Lutyens,* vol. I, 1935. © Country Life.
16. © Country Life.
17. From Leonardo Benevolo, "Saggio d'Interpretazione Storica del Sacro Bosco," *Quaderni dell' Istituto di Storia dell'Architettura,* NN. 7-9, Rome 1955.
18. © Kerry Downes.
19. Reproduced by permission of Penguin Books Ltd., Harmondsworth-Middlesex, from Nikolaus Pevsner, *An Outline of European Architecture,* Baltimore 1960. Photo : Alinari-Anderson.
20. George C. Alikakos.
21. Reproduced by permission of Giulio Einaudi Editore, Turin, from Paolo Portoghesi and Bruno Zevi (editors), *Michel-angiolo Architetto,* 1964.
22. L. F. Kersting, London.
23. Cabinet des Estampes, Bibliothèque Nationale, Paris.
24. Reproduced by permission of Penguin Books Ltd., Harmondsworth-Middlesex, from Rudolf Wittkower, *Art and Architecture in Italy, 1600-1750,* Baltimore 1958.
25. Reproduced by permission of Electa Editrice, Milan, from Maria Venturi Perotti, *Borromini,* 1951. Photo : Vescovo.
26. Reproduced by permission of Professor Eberhard Hempel from Rudolf Wittkower, *Art and Architecture in Italy, 1600-1750,* Penguin Books, Inc., Baltimore 1958.
27. Alinari.
28. Ulmer Fotoarchiv, Munich.
29. A. F. Kersting, London.
30. Reproduced by permission of A. Zwemmer Ltd., London, from Kerry Downes, *Hawksmoor,* 1959.
31. From Nikolaus Pevsner, *An Outline of European Architecture,* Penguin Books Inc., Baltimore 1960.
32. Soprintendenza ai Monumenti, Turin. Photo : Nevi Benito.
33. Reproduced by permission of Arnoldo Mondadori Editore, Milan, from Giulio Carlo Argan (editor), *Borromini,* 1952.
34. Reproduced by permission of Penguin Books Ltd., Harmonds worth-Middlesex, from John Summerson, *Architecture in Britain, 1530-1830,* Baltimore 1958.
35. © Trustees of Sir John Soane's Museum.
36. © Trustees of Sir John Soane's Museum.
37. A. F. Kersting, London.
38. © Warburg Institute. Photo : Helmut Gernsheim.
39. © Warburg Institute. Photo : Helmut Gernsheim.
40. © A.C.L., Brussels.
41. Courtesy Philadelphia Saving Fund Society.

42. Reproduced by permission of Herold Druck- und Verlagsgesellschaft M.B.H., Vienna, from Hans Sedlmayr, *Johann Bernhard Fischer von Erlach,* 1956.
43. Courtesy Leo Castelli Gallery.
44. Tatsuzo Sato, Tokyo.
45. Alinari-Anderson.
46. Reproduced by permission of Penguin Books Ltd., Harmondsworth-Middlesex, from Anthony Blunt, *Art and Architecture in France, 1500-1700,* Baltimore 1957.
47. Marshall Meyers.
48. From *Andrea Palladio,* Der Zirkel, Architektur - Verlag G.m.b.H., Berlin 1920.
49. The Metropolitan Museum of Art, Dick Fund, 1936.
50. MAS, Barcelona.
51. Bildarchiv Foto Marburg, Marburg/Lahn.
52. Courtesy Courtauld Institute of Art.
53. Alinari.
54. From James S. Ackerman, *The Architecture of Michelangelo,* A. Zwemmer Ltd., London 1961.
55. Reproduced by permission of Electa Editrice, Milan, from Maria Venturi Perotti, *Borromini,* 1951.
56. Reproduced by permission of Country Life Ltd., London, from Laurence Weaver, *Houses and Gardens by Sir Edwin Lutyens,* New York 1925. © Country Life.
57. © Country Life.
58. From Yvan Christ, *Projets et Divagations de Claude-Nicolas Ledoux, Architecte du Roi,* Éditions du Minotaure, Paris 1961. Photo : Bibliothèque Nationale.
59. A. F. Kersting, London.
60. Alinari.
61. Foto Locchi, Florence.
62. Reproduced by permission of Roberto Pane from his book, *Ville Vesuviane del Settecento,* Edizioni Scientifiche Italiane, Naples 1959.
63. Reproduced by permission of Roberto Pane from his book, *Ville Vesuviane del Settecento,* Edizioni Scientifiche Italiane, Naples 1959.
64. From *Architectural Forum,* September 1962.
65. Reproduced by permission of Verlag Gerd Hatje, Stuttgart-Bad Cannstatt, from Le Corbusier, *Creation is a Patient Search,* Frederick A. Praeger, Inc., New York 1960.
66. Alinari.
67. Reproduced by permission of Carlo Bestetti-Edizioni d'Arte, Rome, from Giuseppe Mazzotti, *Venetian Villas,* 1957.
68. Jean Roubier, Paris.
69. Courtesy Louis I. Kahn.
70. © Country Life.
71. Courtesy Mt. Vernon Ladies' Association.
72. William H. Short.
73. Reproduced by permission of The Macmillan Company, New York, from Elizabeth Stevenson, *Henry Adams.* © 1955 Elizabeth Stevenson.
74. © Ezra Stoller Associates.
75. Robert Damora.
76. Courtesy Alvar Aalto.
77. Reproduced by permission of Éditions Girsberger, Zurich, from *Le Corbusier, Œuvre complète 1946-1952,* 1955. © 1953.
78. Reproduced by permission of George Wittenborn, Inc., New York, from Karl Fleig (editor), *Alvar Aalto,* 1963.
79. Courtesy Louis I. Kahn.
80. The Museum of Modern Art.
81. Hedrich-Blessing.
82. The Museum of Modern Art.
83. The Museum of Modern Art.
84. The Museum of Modern Art.
85. © Ezra Stoller Associates.
86. Charles Brickbauer.
87. Courtesy Peter Blake.
88. Courtesy Peter Blake.
89. Courtesy Peter Blake.
90. © Lucien Hervé, Paris.
91. James L. Dillon & Co., Inc., Philadelphia.
92. Touring Club Italiano, Milan.
93. A. F. Kersting, London.
94. Reproduced by permission of Giulio Einaudi Editore, Turin, from Paolo Portoghesi and Bruno Zevi (editors), *Michel-angiolo Architetto,* 1964.
95. Reproduced by permission of Giulio Einaudi Editore, Turin, from Paolo Portoghesi and Bruno Zevi (editors), *Michel-angiolo Architetto,* 1964.
96. University News Service, University of Virginia.
97. MAS, Barcelona.
98. Touring Club Italiano, Milan.
99. From Colen Campbell, *Vitruvius Britannicus,* vol. II, London 1717.
100. Collection : Mr. & Mrs. Burton Tremaine, Meriden, Conn.

101. Reproduced by permission of Penguin Books Ltd., Harmondsworth-Middlesex, from Kenneth John Conant, *Carolingian and Romanesque Architecture, 800-1200,* Baltimore 1959.
102. From George William Sheldon, *Artistic Country-Seats; Types of Recent American Villa and Cottage Architecture, with Instances of Country Clubhouses,* D. Appleton and Company, New York 1886.
103. Photo by Georgina Masson, author of *Italian Villas and Palaces,* Thames and Hudson, London 1959.
104. Photo by John Szarkowski, author of *The Idea of Louis Sullivan,* The University of Minnesota Press, Minneapolis. © 1956 The University of Minnesota.
105. Pix Inc.
106. Archivo Fotografico, Monumenti Musei e Gallerie Pontificie, Vatican City.
107. Reproduced by permission, from *Progressive Architecture,* April 1961.
108. Photo by Martin Hürlimann, author of *Englische Kathedralen,* Atlantis Verlag, Zurich 1956.
109. Courtesy Casa de Portugal. Photo : SNI-YAN.
110. Alinari.
111. Reproduced by permission of Giulio Einaudi Editore, Turin, from Paolo Portoghesi and Bruno Zevi (editors), *Michel-angiolo Architetto,* 1964.
112. Chicago Architectural Photo Co.
113. Reproduced by permission of Country Life Ltd., London, from A.S.G. Butler, *The Architecture of Sir Edwin Lutyens,* vol. III, New York 1950. © Country Life.
114. Reproduced by permission, from *Architectural Design,* December 1962.
115. Photo by Martin Hürlimann, author of *Italien,* Atlantis Verlag, Zurich 1959.
116. Bildarchiv Foto Marburg, Marburg/Lahn.
117. Jean Roubier, Paris.
118. Bildarchiv Foto Marburg, Marburg/Lahn.
119. MAS, Barcelona.
120. MAS, Barcelona.
121. Robert Venturi.
122. From Colin Campbell *Vitruvius Britannicus,* vol. III, London 1725.
123. Jean Roubier, Paris.
124. Gebrüder Metz, Tübingen.
125. © Trustees of Sir John Soane's Museum.
126. Alinari.
127. Cunard Line.
128. Alinari.
129. Reproduced by permission of Giulio Einaudi Editore, Turin, from Paolo Portoghesi and Bruno Zevi (editors), *Michel-angiolo Architetto,* 1964.
130. Photo by Martin Hürlimann, author of *Italien,* Atlantis Verlag, Zurich 1959.
131. Courtesy of Anton Schroll and Co., Vienna, publisher of Heinrich Decker, *Romanesque Art in Italy,* 1958.
132. Reproduced by permission of Verlag Gebr. Mann, Berlin, from H. Knackfuss, *Didyma,* part I, vol. III, 1940.
133. Reproduced by permission of Country Life Ltd., London, from A.S.G. Butler, *The Architecture of Sir Edwin Lutyens,* vol. I, 1935. © Country Life.
134. The Museum of Modern Art.
135. MAS, Barcelona.
136. California Division of Highways.
137. Alinari.
138. Reproduced by permission of Harry N. Abrams, Inc., New York, from Henry A. Millon and Alfred Frazer, *Key Monuments of the History of Architecture,* 1964.
139. Reproduced by permission of Henry-Russell Hitchcock from his book *In the Nature of Materials,* Duell, Sloan & Pearce, New York 1942.
140. Archives Nationales, Paris.
141. Archives Nationales, Paris.
142. Touring Club Italiano, Milan.
143. © Trustees of Sir John Soane's Museum.
144. Reproduced by permission of Architectural Book Publishing Co., Inc., New York, from W. Hegemann and E. Peets, *The American Vitruvius.* © 1922 Paul Wenzel and Maurice Krakow.
145. Reproduced by permission of Architectural Book Publishing Co., Inc., New York, from W. Hegemann and E. Peets, *The American Vitruvius.* © 1922 Paul Wenzel and Maurice Krakow.
146. J. B. Piranesi, *Vedute di Roma,* vol. 13. New York Public Library Art Room.
147. Reproduced by permission of Yale University Press, New Haven, from Vincent Scully, *The Shingle Style,* 1955.

148. Reproduced by permission of Architectural Book Publishing Co., Inc., New York, from Katharine Hooker and Myron Hunt, *Farmhouses and Small Provincial Buildings in Southern Italy,* 1925.
149. A. F. Kersting, London.
150. Alinari.
151. The Museum of Modern Art.
152. Theo Frey, Weiningen.
153. Reproduced by permission of George Wittenborn, Inc., New York, from Karl Fleig (editor), *Alvar Aalto,* 1963.
154. Reproduced by permission of Country Life Ltd., London, from H. Avray Tipping and Christopher Hussey, *English Homes, Period IV-Vol. II, The Work of Sir John Vanbrugh and His School, 1699-1736,* 1928. © Country Life.
155. Reproduced by permission of Propyläen Verlag, Berlin, from Gustav Pauli, *Die Kunst des Klassizismus und der Romantik,* 1925.
156. Alinari.
157. Abraham Guillén, Lima.
158. Archives Photographiques, Caisse Nationale des Monuments Historiques, Paris.
159. Robert Venturi.
160. Bildarchiv Foto Marburg, Marburg/Lahn.
161. © Country Life.
162. Robert Venturi.
163. From Russell Sturgis, *A History of Architecture,* vol. I, The Baker & Taylor Company, New York 1906.
164. Reproduced by permission of Propyläen Verlag, Berlin, from Heinrich Schafer and Walter Andrae, *Die Kunst des Alten Orients,* 1925.
165. Reproduced by permission of Penguin Books Ltd., Harmondsworth-Middlesex, from Rudolf Wittkower, *Art and Architecture in Italy, 1600-1750,* Baltimore 1958.
166. Pierre Devinoy, Paris.
167. Staatlichen Graphischen Sammlung, Munich.
168. Hirmer Verlag, Munich.
169. Reproduced by permission, from *L'Architettura,* June 1964.
170. Alinari.
171. © Trustees of Sir John Soane's Museum.
172. Robert Venturi.
173. Robert Venturi.
174. The Museum of Modern Art.
175. © Ezra Stoller Associates.
176. Ernest Nash, Fototeca Unione, Rome.
177. Reproduced by permission of Penguin Books Ltd., Harmondsworth-Middlesex, from Nikolaus Pevsner, *An Outline of European Architecture,* Baltimore 1960.
178. Reproduced by permission of Penguin Books Ltd., Harmondsworth-Middlesex, from Nikolaus Pevsner, *An Outline of European Architecture,* Baltimore 1960.
179. Friedrich Hewicker, Kaltenkirchen.
180. Courtesy Prestel Verlag, Munich. Photo : Erich Müller.
181. Reproduced by permission of Giulio Einaudi Editore, Turin, from Paolo Portoghesi and Bruno Zevi (editors), *Michel-angiolo Architetto,* 1964.
182. Reproduced by permission of Giulio Einaudi Editore, Turin, from Paolo Portoghesi and Bruno Zevi (editors), *Michel-angiolo Architetto,* 1964.
183. Alinari-Anderson.
184. Reproduced by permission of Penguin Books Ltd., Harmondsworth-Middlesex, from G. H. Hamilton, *The Art and Architecture of Russia,* Baltimore 1954.
185. Reproduced by permission of Penguin Books Ltd., Harmondsworth-Middlesex, from George Kubler and Martin Soria, *Art and Architecture in Spain and Portugal and Their American Dominions, 1500-1800,* Baltimore 1959.
186. Reproduced by permission of Touring Club Italiano, Milan, from L. V. Bertanelli (editor), *Guida d'Italia, Lazio,* 1935.
187. Reproduced by permission of Alec Tiranti Ltd., London, from J. C. Shepherd and G. A. Jellicoe, *Italian Gardens of the Renaissance,* 1953.
188. Courtesy Louis I. Kahn.
189. Alinari.
190. Reproduced by permission of Rudolf Wittkower, from his book, *Art and Architecture in Italy, 1600-1750,* Penguin Books, Inc., Baltimore 1958.
191. Riccardo Moncalvo, Turin.
192. Heikki Havas, Helsinki.
193. Reproduced by permission of Arkady, Warsaw, from Maria and Kazimierz Piechotka, *Wooden Synagogues,* 1959.
194. Reproduced by permission of George Wittenborn, Inc., New York, from Karl Fleig (editor), *Alvar Aalto,* 1963.

195. G. Kleine-Tebbe, Bremen.
196. From *Architectural Forum,* February 1950.
197. From *Architectural Forum,* February 1950.
198. Reproduced by permission of The University of North Carolina Press, Chapel Hill, from Thomas Tileston Waterman, *The Mansions of Virginia, 1706-1776,* 1946. © 1945.
199. Robert Venturi.
200. Reproduced by permission of Herold Druck- und Verlags-Gesellschaft M.B.H., Vienna, from Hans Sedlmayr, *Johann Bernhard Fischer von Erlach,* 1956.
201. Alinari.
202. From *Casabella,* no. 217, 1957.
203. Reproduced by permission of Alec Tiranti Ltd., London, from J. C. Shepherd and G. A. Jellicoe, *Italian Gardens of the Renaissance,* 1953.
204. Touring Club Italiano, Milan.
205. The Museum of Modern Art.
206. Reproduced by permission of Penguin Books Ltd., Harmondsworth-Middlesex, from Nikolaus Pevsner, *An Outline of European Architecture,* Baltimore 1960.
207. Soprintendenza alle Gallerie, Florence.
208. Istituto Centrale del Restauro, Rome.
209. Collection : The Whitney Museum of American Art.
210. Courtesy André Emmerich Gallery.
211. Photo by John Szarkowski, author of *The Idea of Louis Sullivan,* The University of Minnesota Press, Minneapolis. © 1956 The University of Minnesota.
212. Soprintendenza alle Gallerie, Florence.
213. Hirmer Fotoarchiv, Munich.
214. Hirmer Fotoarchiv, Munich.
215. From Colen Campbell, *Vitruvius Britannicus,* vol. I, London 1715.
216. From John Woolfe and James Gandon, *Vitruvius Britannicus,* vol. V, London 1771.
217. Courtesy City Museum and Art Gallery, Birmingham.
218. Robert Venturi.
219. Robert Venturi.
220. Robert Venturi.
221. Robert Venturi.
222. Produced by permission of Electa Editrice, Milan, from *Palladio,* 1951.
223. H. Roger-Viollet, Paris.
224. Slide Collection, University of Pennsylvania.
225. From I. T. Frary, *Thomas Jefferson, Architect and Builder,* Garrett and Massie, Inc., Richmond 1939.
226. Robert Venturi.
227. From Colen Campbell *Vitruvius Britannicus,* vols. I and III, London 1715 and 1725.
228. Reproduced by permission of Penguin Books Ltd., Harmondsworth-Middlesex, from Nikolaus Pevsner, *An Outline of European Architecture,* Baltimore 1960.
229. Bildarchiv Foto Marburg, Marburg/Lahn.
230. From Leonardo Benevolo, "Le Chiese Barocche Valsesiane," *Quaderni dell'Istituto di Storia dell'Architettura,* NN. 22-24, Rome 1957.
231. © Country Life.
232. The Museum of Modern Art.
233. Sheila Hicks.
234. Reproduced by permission of Connaissance des Arts, Paris, from Stephanie Faniel, *French Art of the 18th Century,* 1957.
235. Chicago Architectural Photo Co.
236. Bayerische Verwaltung der staatlichen Schlösser, Gärten und Seen, Munich.
237. Courtesy of Anton Schroll and Co., Vienna, from Heinrich Decker, *Romanesque Art in Italy,* 1958.
238. © National Buildings Record, London.
239. Robert Venturi.
240. Reproduced by permission of A. Zwemmer Ltd., London, from Kerry Downes, *Hawksmoor,* 1959.
241. Reproduced by permission of Roberto Pane from his book *Ferdinando Fuga,* Edizioni Scientifiche Italiane, Naples 1961.
242. Italian State Tourist Office.
243. Reproduced by permission of Penguin Books Ltd., Harmondsworth-Middlesex, from Anthony Blunt, *Art and Architecture in France, 1500-1700,* Baltimore 1957.
244. Reproduced by permission of Architectural Book Publishing Co., Inc., New York, from Katharine Hooker and Myron Hunt, *Farmhouses and Small Provincial Buildings in Southern Italy,* 1925.
245. Wayne Andrews.
246. From "Bagnaia," *Quaderni dell' Istituto di Storia dell'Architettura,* N. 17, Rome 1956.

247. Alinari.
248. Reproduced by permission, from *Architectural Design,* December 1962.
249. Reproduced by permission of Architectural Book Publishing Co., Inc., New York, from Katharine Hooker and Myron Hunt, *Farmhouses and Small Provincial Buildings in Southern Italy,* 1925.
250. From Archivo Amigos de Gaudí, Barcelona. Photo : Aleu.
251. Reproduced by permission of George Wittenborn, Inc., New York, from Karl Fleig (editor), *Alvar Aalto,* 1963.
252. Wallace Litwin.
253. George Cserna.
254. Office of Venturi and Rauch.
255. Office of Venturi and Rauch.
256. Office of Venturi and Rauch.
257. Office of Venturi and Rauch.
258. Office of Venturi and Rauch.
259. Office of Venturi and Rauch.
260. Leni Iselin.
261. Leni Iselin.
262. Leni Iselin.
263. Leni Iselin.
264. Edmund B. Gilchrist.
265. Office of Venturi and Rauch.
266. Office of Venturi and Rauch.
267. Office of Venturi and Rauch.
268. Office of Venturi and Rauch.
269. Office of Venturi and Rauch.
270. George Pohl.
271. George Pohl.
272. Office of Venturi and Rauch.
273. George Pohl.
274. George Pohl.
275. George Pohl.
276. George Pohl.
277. Rollin R. La France.
278. Office of Venturi and Rauch.
279. Office of Venturi and Rauch.
280. Office of Venturi and Rauch.
281. Office of Venturi and Rauch.
282. Office of Venturi and Rauch.
283. Office of Venturi and Rauch.
284. Office of Venturi and Rauch.
285. Lawrence S. Williams, Inc.
286. Lawrence S. Williams, Inc.
287. Lawrence S. Williams, Inc.
288. George Pohl.
289. Office of Venturi and Rauch.
290. Office of Venturi and Rauch.
291. Office of Venturi and Rauch.
292. Office of Venturi and Rauch.
293. Office of Venturi and Rauch.
294. George Pohl.
295. Office of Venturi and Rauch.
296. Office of Venturi and Rauch.
297. Office of Venturi and Rauch.
298. Office of Venturi and Rauch.
299. Office of Venturi and Rauch.
300. Office of Venturi and Rauch.
301. William Watkins.
302. William Watkins.
303. William Watkins.
304. William Watkins.
305. Office of Venturi and Rauch.
306. Office of Venturi and Rauch.
307. Office of Venturi and Rauch.
308. Office of Venturi and Rauch.
309. George Pohl.
310. Rollin R. La France.
311. George Pohl.
312. George Pohl.
313. Rollin R. La France.
314. Rollin R. La France.
315. Rollin R. La France.
316. Rollin R. La France.
317. Office of Venturi and Rauch.
318. Office of Venturi and Rauch.
319. Office of Venturi and Rauch.
320. Office of Venturi and Rauch.
321. Rollin R. La France.
322. Rollin R. La France.
323. Office of Venturi and Rauch.
324. Office of Venturi and Rauch.
325. Office of Venturi and Rauch.
326. Office of Venturi and Rauch.
327. Office of Venturi and Rauch.
328. Office of Venturi and Rauch.
329. Office of Venturi and Rauch.
330. George Pohl.
331. George Pohl.
332. Office of Venturi and Rauch.
333. Office of Venturi and Rauch.
334. Office of Venturi and Rauch.
335. Office of Venturi and Rauch.
336. Office of Venturi and Rauch.
337. Office of Venturi and Rauch.
338. Office of Venturi and Rauch.
339. George Pohl.
340. George Pohl.
341. George Pohl.
342. Office of Venturi and Rauch.
343. Office of Venturi and Rauch.
344. Office of Venturi and Rauch.
345. Office of Venturi and Rauch.
346. George Pohl.
347. George Pohl.
348. Office of Venturi and Rauch.
349. Office of Venturi and Rauch.
350. Office of Venturi and Rauch.

composition urbaine

Frederick GIBBERD

Constitue une remarquable introduction d'ensemble à l'urbanisme par l'analyse de tous les arts et techniques qui concourent à la composition du site urbain.

372 pages, 21 × 30, avec 793 figures, Relié. Dunod.

pour une anthropologie de la maison

Amos RAPOPORT

La maison dans l'architecture populaire est révélatrice d'une culture. Entre le climat, les matériaux, la technologie, le site, l'économic ou la religion, A. Rapoport distingue les facteurs déterminants et conclut que ces derniers sont fondés sur le type de réponse qu'une culture donne à ces besoins.

Il dégage ensuite l'apport possible de l'architecture traditionnelle aux problèmes de la construction dans le tiers monde et dans le contexte de la culture occidentale.

208 pages, 15 × 22, Broché. Dunod.

le brutalisme en architecture

R. BANHAM

Cet ouvrage présente les origines, les caractéristiques et l'évolution de l'architecture brutaliste. L'auteur y compare différents bâtiments considérés comme des exemples de cette architecture.

196 pages, 23 × 28, Relié. Dunod.

méthodes d'analyse régionale

Walter ISAR

Tome 1 : équilibre économique,

Tome 2 : optimisation.

Développe les concepts de base de l'analyse régionale ainsi que les techniques et outils de mathématiques appliquées nécessaires au planificateur régional ou urbain.

240 et 224 pages, 16 × 25, Broché. Dunod.

Imprimerie Berger-Levrault, Nancy – 799333-5-76
Dépôt légal n° 6871. – 2e trimestre 1976
Imprimé en France